D1301645

IRRÉSISTIBLES
BISCUITS!

TORMONT

Conception graphique : Zapp
Chef / styliste : Josée Robitaille
Photographies : Nathalie Dumouchel
Infographie : Typotech inc.

Les accessoires de cuisine ont été offerts gracieusement par : Pier 1 Imports
Ramacieri Design Inc.
Stokes

L'éditeur tient à remercier l'Institut de tourisme et d'hôtellerie du Québec pour sa précieuse contribution à ce livre.

L'éditeur tient aussi à souligner la participation de Madame Arlene Gryfe à l'élaboration des recettes.

ISBN 978-2-7641-0486-6
Imprimé en Chine.

Table des matières

Introduction

Quel plaisir de croquer à pleines dents dans un délicieux biscuit tout juste sorti du four!

Les biscuits maison ont un je ne sais quoi de magique : ils réchauffent les cœurs, animent les visages, délectent les palais et peuvent même, à l'occasion, apporter un peu de réconfort. Chaque fois qu'ils en ont l'occasion, petits et grands s'en régalent depuis fort longtemps.

Agrémenté de quelque 250 superbes photos en couleurs et de techniques illustrées étape par étape, *Irrésistibles biscuits!* comprend en tout 177 recettes regroupées par chapitre : biscuits frigidaire, biscuits à la cuillère, biscuits à l'emporte-pièce, biscuits façonnés, biscuits-sandwiches, biscuits au chocolat, biscuits pour les jours de fête, sans oublier les biscuits typiques de différentes parties du monde. Un chapitre est également consacré aux barres et aux carrés, et un autre, aux muffins.

Du biscuit aux pépites de chocolat, le préféré des enfants, aux biscuits plus raffinés pour les jours de fête en passant par les carrés nourrissants, qui se préparent en un tour de main, et les savoureux muffins, *Irrésistibles biscuits!* vous suggère des recettes pour toutes les occasions et pour tous les goûts.

CONSEILS

Pour réussir une recette quelle qu'elle soit, certains principes de base doivent être respectés. Cela s'applique tout particulièrement à la pâtisserie. Voici donc quelques conseils qui vous permettront de réaliser aisément biscuits, carrés et muffins et d'obtenir, à tout coup, de succulents résultats.

- Bien mesurer les ingrédients et respecter les quantités. Les préparer à l'avance et garder le beurre à la température ambiante, prêt à être utilisé.

- À moins d'indications contraires, mélanger la pâte au batteur électrique, mais pas trop, car les biscuits seront durs. Les biscuits mélangés à la main sont généralement plus denses.

- Tamiser d'abord les ingrédients secs ensemble, et les réserver. Mélanger les corps gras avec le sucre et les œufs, puis y incorporer les ingrédients secs.

- Préchauffer le four et préparer les plaques à biscuits à l'avance. De préférence, utiliser des plaques à revêtement antiadhésif, qui assurent une cuisson uniforme et qui sont faciles à nettoyer. Les plaques régulières doivent être graissées et farinées, ou graissées et tapissées de papier sulfurisé ou de papier ciré allant au four.

- Faire des biscuits de la même taille et de la même épaisseur, pour obtenir une cuisson uniforme.

- Laisser suffisamment d'espace entre les biscuits à la cuillère et les biscuits façonnés pour leur permettre de s'étaler sur la plaque pendant la cuisson.

- Réfrigérer la pâte à biscuits détaillée à l'emporte-pièce de 1 heure à 2 heures avant de l'abaisser et de la découper. Pour abaisser la pâte, utiliser un rouleau à pâtisserie et fariner le plan de travail, mais pas trop, car la pâte absorbera l'excédent de farine et les biscuits seront moins tendres. Plus la pâte sera mince, plus les biscuits seront croustillants.

- Pour réussir des meringues, ne pas trop battre les blancs d'œufs. Sinon, les biscuits seront secs et se détacheront en flocons.

- Pour vérifier la cuisson des biscuits, exercer une légère pression au centre de ceux-ci. S'ils sont cuits, ils devraient reprendre leur forme. Ils sont généralement cuits lorsqu'ils deviennent dorés ou lorsque les bords commencent à brunir. À leur sortie du four, retirer rapidement les biscuits de la plaque afin d'en arrêter la cuisson.

- Déposer les biscuits sur une grille pour leur permettre de refroidir uniformément.

- Conserver les biscuits dans un contenant hermétique afin qu'ils demeurent croustillants. Pour qu'ils soient moelleux, les garder dans un contenant hermétique et y ajouter une tranche de pomme.

- Pour faire fondre le chocolat, le hacher grossièrement et le déposer dans un bol en acier inoxydable, propre et sec. Placer le bol au-dessus d'une casserole à moitié remplie d'eau frémissante, sans que le fond touche l'eau. Laisser le chocolat fondre lentement.

Ces quelques conseils viennent compléter les explications et les techniques claires et précises que l'on retrouve tout au long de cet ouvrage. Dans bien des cas, ils vous simplifieront la tâche tant et si bien que la préparation des biscuits deviendra un véritable plaisir. Avec *Irrésistibles biscuits!*, vous avez tout en main pour réussir des biscuits, des carrés et des muffins... à croquer!

BISCUITS FRIGIDAIRE

Rien de tel que les biscuits frigidaire pour ne pas être pris au dépourvu quand la visite arrive à l'improviste, car ils ont l'avantage de se préparer à l'avance et de se congeler. Quelques minutes suffisent alors pour les apprêter et les faire cuire.

Le délicieux arôme qui se répand dans la maison lors de leur cuisson fera la conquête de tous et chacun... Personne ne pourra résister à ces petits délices d'une fraîcheur et d'une légèreté inégalées.

Biscuits au gingembre

(3 douzaines)

125 ml	**beurre non salé ou margarine**	**½ tasse**
125 ml	**sucre**	**½ tasse**
30 ml	**glucose ou miel**	**2 c. à s.**
325 ml	**farine tout usage**	**1⅓ tasse**
2 ml	**bicarbonate de soude**	**½ c. à t.**
5 ml	**clous de girofle moulus**	**1 c. à t.**
5 ml	**cannelle moulue**	**1 c. à t.**
7 ml	**gingembre moulu**	**1½ c. à t.**

- Dans un bol, battre en crème le beurre et le sucre. Ajouter le glucose et battre de nouveau. Tamiser ensemble tous les ingrédients secs, puis les incorporer au premier appareil.
- Fraiser la pâte jusqu'à ce qu'elle se tienne. La façonner en rouleaux de 5 cm (2 po) de diamètre, les envelopper dans du papier ciré et les laisser reposer au réfrigérateur toute la nuit.
- Préchauffer le four à 180 °C (350 °F). Graisser une plaque à biscuits.
- Détailler les rouleaux en tranches de 6 mm (¼ po) d'épaisseur. Les disposer sur la plaque à 5 cm (2 po) d'intervalle.
- Faire cuire au four de 8 à 10 minutes, jusqu'à ce que les biscuits soient légèrement dorés. Les laisser tiédir avant de les retirer de la plaque.

Recette de l'Institut de tourisme et d'hôtellerie du Québec

Biscuits à l'orange

(3 douzaines)

125 ml	**beurre non salé, ramolli**	**½ tasse**
300 ml	**sucre**	**1¼ tasse**
1	**œuf**	**1**
15 ml	**zeste d'orange râpé**	**1 c. à s.**
425 ml	**farine tout usage**	**1¾ tasse**
1 ml	**sel**	**¼ c. à t.**
1 ml	**bicarbonate de soude**	**¼ c. à t.**
	des colorants alimentaires jaune et rouge	
Glace		
125 ml	**sucre glace**	**½ tasse**
30 ml	**jus d'orange**	**2 c. à s.**

- Dans un grand bol, battre en crème le beurre et 250 ml (1 tasse) de sucre. Ajouter l'œuf et le zeste d'orange; bien mélanger. Tamiser ensemble la farine, le sel et le bicarbonate de soude; incorporer au premier appareil.
- Sur un plan de travail fariné, pétrir la pâte jusqu'à ce qu'elle soit homogène. La façonner en deux rouleaux de forme ovale, de 4 cm (1½ po) de diamètre, les envelopper dans du papier ciré et les laisser reposer toute la nuit, au réfrigérateur.
- Préchauffer le four à 190 °C (375 °F). Graisser et fariner une plaque à biscuits.
- Mélanger 50 ml (¼ tasse) de sucre avec les colorants alimentaires; y rouler la pâte. La détailler en tranches de 6 mm (¼ po) d'épaisseur. Les disposer sur la plaque et les faire cuire au four de 10 à 12 minutes.
- Entre-temps, préparer la glace en mélangeant le sucre glace avec le jus d'orange.
- Sortir les biscuits du four, les déposer sur une grille et les badigeonner immédiatement de glace.

RÉGALS AU SUCRE ET À L'ABRICOT

(environ 3 douzaines)

125 ml	**beurre non salé ramolli**	**½ tasse**
125 ml	**sucre glace tamisé**	**½ tasse**
2 ml	**extrait de vanille**	**½ c. à t.**
1	**œuf, battu**	**1**
300 ml	**farine tout usage tamisée**	**1¼ tasse**
1	**pincée de sel**	**1**
50 ml	**abricots séchés hachés**	**¼ tasse**

- Dans un grand bol, bien mélanger le beurre, le sucre glace et l'extrait de vanille. Incorporer l'œuf. Ajouter la farine tamisée et le sel. Pétrir à la main. Incorporer les abricots.
- Façonner la pâte en un rouleau de 4 cm (1½ po) de diamètre. Envelopper dans une feuille de papier ciré et laisser reposer au réfrigérateur toute la nuit.
- Préchauffer le four à 200 °C (400 °F). Graisser légèrement une plaque à biscuits.
- Détailler le rouleau en tranches de 3 mm (⅛ po) d'épaisseur. Les disposer sur la plaque et les faire cuire au four de 7 à 8 minutes, jusqu'à ce que les bords commencent à brunir légèrement. Déposer les biscuits sur une grille et les laisser refroidir.

Biscuits à la vanille

(2 douzaines)

50 ml	**beurre non salé, ramolli**	**¼ tasse**
50 ml	**sucre**	**¼ tasse**
50 ml	**cassonade**	**¼ tasse**
1	**œuf**	**1**
1 ml	**extrait de vanille**	**¼ c. à t.**
250 ml	**farine tout usage**	**1 tasse**
2 ml	**bicarbonate de soude**	**½ c. à t.**
1	**pincée de sel**	**1**

- Dans un bol, battre en crème le beurre, le sucre et la cassonade. Ajouter l'œuf et l'extrait de vanille; bien mélanger.
- Tamiser ensemble les ingrédients secs et les incorporer au premier appareil.
- Façonner la pâte en un tronçon carré ou en un rouleau de 5 cm (2 po) de diamètre et de 55 cm (22 po) de long. Le laisser reposer au réfrigérateur 12 heures.
- Préchauffer le four à 200 °C (400 °F). Graisser une plaque à biscuits.
- Détailler la pâte en tranches de 6 mm (¼ po) d'épaisseur. Les disposer sur la plaque et les faire cuire au four de 8 à 10 minutes. Déposer les biscuits sur une grille et les laisser refroidir.

Recette de l'Institut de tourisme et d'hôtellerie du Québec

BISCUITS AU TAHINI ET AUX GRAINES DE SÉSAME

(4 douzaines)

125 ml	**beurre non salé**	**½ tasse**
125 ml	**sucre**	**½ tasse**
125 ml	**cassonade**	**½ tasse**
1	**gros œuf, battu**	**1**
30 ml	**tahini**	**2 c. à s.**
425 ml	**farine tout usage**	**1¾ tasse**
1 ml	**sel**	**¼ c. à t.**
2 ml	**bicarbonate de soude**	**½ c. à t.**
125 ml	**graines de sésame**	**½ tasse**

- Dans un grand bol, battre en crème le beurre, le sucre et la cassonade. Ajouter l'œuf et le tahini; bien mélanger.
- Tamiser ensemble les ingrédients secs. Les incorporer au premier appareil. Ajouter les graines de sésame.
- Pétrir la pâte jusqu'à ce qu'elle soit homogène. La façonner en 2 blocs d'environ 4 cm (1½ po) de côté. Les envelopper dans du papier ciré et les laisser reposer toute la nuit au réfrigérateur.
- Préchauffer le four à 190 °C (375 °F). Graisser et fariner une plaque à biscuits.
- Détailler la pâte en tranches de 6 mm (¼ po) d'épaisseur. Les disposer sur la plaque et faire cuire au four de 8 à 10 minutes.
- Déposer les biscuits sur une grille et les laisser refroidir.

BISCUITS AU CHEDDAR AFFINÉ ET AUX NOISETTES

(3 douzaines)

125 ml	**beurre non salé, en petits morceaux**	**½ tasse**
30 ml	**parmesan râpé**	**2 c. à s.**
250 ml	**cheddar affiné râpé**	**1 tasse**
2	**œufs**	**2**
500 ml	**farine tout usage**	**2 tasses**
2 ml	**bicarbonate de soude**	**½ c. à t.**
1 ml	**piment de Cayenne**	**¼ c. à t.**
125 ml	**noisettes hachées finement**	**½ tasse**

- Dans un grand bol, battre le beurre, les fromages et les œufs. Incorporer la farine, le bicarbonate de soude et le piment de Cayenne.
- Sur un plan de travail fariné, pétrir délicatement la pâte jusqu'à ce qu'elle soit homogène. La façonner en 3 rouleaux; les rouler dans les noisettes hachées. Bien envelopper dans du papier d'aluminium et laisser reposer toute la nuit au réfrigérateur.
- Préchauffer le four à 180 °C (350 °F). Graisser une plaque à biscuits.
- Détailler la pâte en tranches de 6 mm (¼ po) d'épaisseur. Les disposer sur la plaque à 4 cm (1½ po) d'intervalle et faire cuire au four de 12 à 14 minutes, jusqu'à ce que les biscuits soient dorés. Les déposer sur une grille et les laisser refroidir.

BISCUITS NAPOLITAINS

(environ 4 douzaines)

175 ml	**graisse végétale**	**¾ tasse**
250 ml	**sucre**	**1 tasse**
1	**œuf**	**1**
5 ml	**extrait d'amandes**	**1 c. à t.**
500 ml	**farine tout usage**	**2 tasses**
5 ml	**poudre à pâte**	**1 c. à t.**
15 ml	**graisse végétale**	**1 c. à s.**
30 ml	**poudre de cacao**	**2 c. à s.**
1	**blanc d'œuf, légèrement battu**	**1**
2 ml	**extrait de framboise ou de fraise**	**½ c. à t.**
	colorant alimentaire rouge	

- Dans un grand bol, battre en crème la graisse végétale et le sucre. Incorporer l'œuf et l'extrait d'amandes. Tamiser ensemble la farine et la poudre à pâte. Ajouter ces ingrédients au premier appareil et bien mélanger.
- Diviser la pâte en 3 portions. À l'une des portions, incorporer quelques gouttes de colorant alimentaire et l'extrait de framboise. À la deuxième, la graisse végétale et la poudre de cacao.
- Tapisser d'une pellicule de plastique un moule à pain de 7,5 cm sur 15 cm sur 5 cm (3 po sur 6 po sur 2 po). Tasser la pâte au chocolat au fond du moule; la badigeonner de blanc d'œuf. Déposer la pâte blanche dessus, tasser et badigeonner de blanc d'œuf. Déposer la pâte rose dessus, tasser et badigeonner de blanc d'œuf.
- Replier la pellicule de plastique afin de bien envelopper la pâte. Laisser reposer au réfrigérateur plusieurs heures.
- Préchauffer le four à 190 °C (375 °F). Démouler la pâte, la couper en tranches de 6 mm (¼ po) d'épaisseur et les disposer sur une plaque non graissée. Faire cuire au four de 10 à 12 minutes, jusqu'à ce que les biscuits soient fermes. Les déposer sur une grille et les laisser refroidir.

Tasser la pâte au chocolat au fond du moule; la badigeonner de blanc d'œuf. Déposer la pâte blanche dessus, tasser et badigeonner de blanc d'œuf.

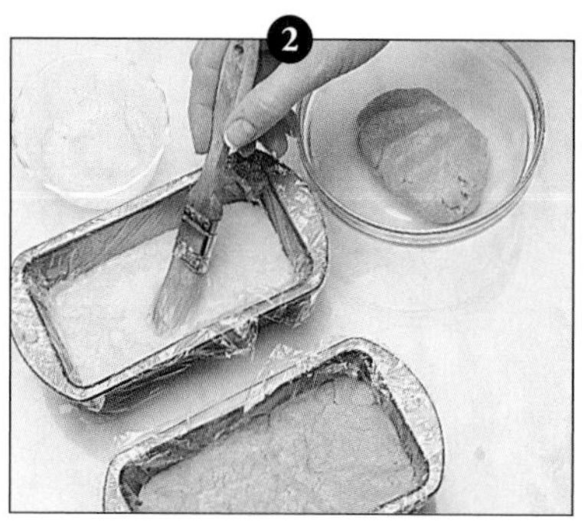

Déposer la pâte rose dessus, tasser et badigeonner de blanc d'œuf.

Démouler la pâte, la couper en tranches de 6 mm (¼ po) d'épaisseur.

Boutons moka

(environ 4 douzaines)

75 ml	**graisse végétale**	**⅓ tasse**
175 ml	**cassonade bien tassée**	**¾ tasse**
1	**œuf**	**1**
30 ml	**café instantané en poudre**	**2 c. à s.**
15 ml	**eau chaude**	**1 c. à s.**
30 ml	**poudre de cacao**	**2 c. à s.**
375 ml	**farine tout usage**	**1½ tasse**

- Dans un grand bol, battre en crème la graisse végétale et la cassonade. Incorporer l'œuf. Faire dissoudre le café dans l'eau chaude et l'ajouter au mélange. Ajouter la poudre de cacao et la farine; bien mélanger après chaque addition. Diviser la pâte en 2 et façonner chaque portion en un rouleau de 5 cm (2 po) de diamètre. Les envelopper dans une pellicule de plastique et les laisser reposer au réfrigérateur toute la nuit.
- Préchauffer le four à 180 °C (350 °F). Graisser légèrement une plaque à biscuits.
- Détailler la pâte en tranches de 6 mm (¼ po) d'épaisseur et les disposer sur la plaque. Avec l'extrémité d'une paille de plastique, pratiquer 2 ou 4 petits trous dans chacune. Faire cuire au four de 8 à 10 minutes ou jusqu'à ce que les biscuits commencent à se raffermir. Les déposer sur une grille et les laisser refroidir. Conserver dans un récipient hermétique.

Biscuits aux graines de pavot

(environ 5 douzaines)

250 ml	**graisse végétale**	**1 tasse**
175 ml	**sucre**	**¾ tasse**
1	**œuf**	**1**
50 ml	**graines de pavot**	**¼ tasse**
30 ml	**yogourt**	**2 c. à s.**
7 ml	**zeste d'orange râpé**	**1½ c. à t.**
625 ml	**farine tout usage**	**2½ tasses**
2 ml	**poudre à pâte**	**½ c. à t.**

- Dans un grand bol, battre la graisse végétale et le sucre jusqu'à l'obtention d'une crème mousseuse. Y incorporer l'œuf, les graines de pavot, le yogourt et le zeste d'orange. Tamiser ensemble la farine et la poudre à pâte. Ajouter ces ingrédients au premier appareil et mélanger.
- Diviser la pâte en 3 et façonner chaque portion en un rouleau de 5 cm (2 po) de diamètre. Les envelopper dans une pellicule de plastique et les laisser reposer au réfrigérateur 6 heures ou toute la nuit.
- Préchauffer le four à 180 °C (350 °F). Graisser et fariner une plaque à biscuits.
- Détailler les rouleaux en tranches de 6 mm (¼ po) d'épaisseur et les disposer sur la plaque. Faire cuire au four de 8 à 10 minutes. Déposer les biscuits sur une grille et les laisser refroidir.

LOSANGES À L'ORANGE ET AUX PACANES

(environ 6 douzaines)

175 ml	**huile végétale**	**¾ tasse**
1	**œuf**	**1**
125 ml	**cassonade**	**½ tasse**
125 ml	**sucre**	**½ tasse**
30 ml	**yogourt nature**	**2 c. à s.**
15 ml	**zeste d'orange haché**	**1 c. à s.**
300 ml	**farine tout usage**	**1¼ tasse**
5 ml	**bicarbonate de soude**	**1 c. à t.**
250 ml	**farine de blé entier**	**1 tasse**
125 ml	**pacanes hachées finement**	**½ tasse**

- Dans un grand bol, battre l'huile avec l'œuf. Ajouter la cassonade, le sucre, le yogourt et le zeste d'orange.
- Tamiser ensemble la farine tout usage et le bicarbonate de soude. Ajouter la farine de blé entier et mélanger. Incorporer ces ingrédients et les pacanes au premier appareil.
- Envelopper la pâte dans une feuille de papier ciré et la laisser reposer au réfrigérateur 4 heures.
- Préchauffer le four à 180 °C (350 °F). Graisser légèrement une plaque à biscuits.
- Sur un plan de travail fariné, abaisser la moitié de la pâte à 6 mm (¼ po) d'épaisseur. La détailler en losanges de 5 cm (2 po) de long sur 2,5 cm (1 po) de large. Répéter l'opération avec le reste de la pâte.
- Disposer les losanges sur la plaque. Faire cuire au four de 10 à 12 minutes, jusqu'à ce que les bords deviennent croustillants, puis les déposer sur une grille et les laisser refroidir.

BARRES À L'ANIS

(environ 4 douzaines)

175 ml	**beurre non salé**	**¾ tasse**
175 ml	**sucre**	**¾ tasse**
1	**œuf**	**1**
30 ml	**graines d'anis**	**2 c. à s.**
500 ml	**farine tout usage**	**2 tasses**

- Battre le beurre et le sucre jusqu'à l'obtention d'une crème légère et mousseuse. Ajouter l'œuf et les graines d'anis; bien mélanger. Incorporer la farine et bien travailler la pâte. Laisser reposer au réfrigérateur toute la nuit.
- Préchauffer le four à 180 °C (350 °F). Graisser légèrement une plaque à biscuits.
- Abaisser la pâte à 3 mm (⅛ po) d'épaisseur, puis la détailler en barres de 4 cm sur 6 cm (1½ po sur 2½ po). Les disposer sur la plaque, à 1 cm (½ po) d'intervalle. Faire cuire au four de 10 à 12 minutes, jusqu'à ce que les bords brunissent, puis déposer les barres sur une grille et les laisser refroidir.

BISCUITS AUX NOIX

(3 douzaines)

250 ml	**beurre non salé**	**1 tasse**
500 ml	**cassonade**	**2 tasses**
2	**œufs, battus**	**2**
875 ml	**farine tout usage**	**3½ tasses**
5 ml	**bicarbonate de soude**	**1 c. à t.**
1	**pincée de sel**	**1**
250 ml	**noix mélangées, hachées**	**1 tasse**

- Dans un grand bol, battre en crème le beurre et la cassonade. Ajouter les œufs et bien mélanger.
- Dans un autre bol, mélanger la farine, le bicarbonate de soude et le sel. Avec une cuillère en bois, incorporer peu à peu ces ingrédients au premier appareil. Ajouter les noix et mélanger.
- Diviser la pâte en 2 et façonner chaque portion en un rectangle ou en un rouleau. Envelopper la pâte dans une pellicule de plastique. Laisser reposer au moins 12 heures au réfrigérateur.
- Préchauffer le four à 180 °C (350 °F). Graisser et fariner une plaque à biscuits.
- Détailler la pâte en tranches de 6 mm (¼ po) d'épaisseur et les disposer sur la plaque. Les faire cuire au four de 8 à 10 minutes, selon leur taille, puis les déposer sur une grille et les laisser refroidir.

NOTE : *cette pâte à biscuits peut se conserver de 4 à 5 jours au réfrigérateur.*

1 Dans un grand bol, battre en crème le beurre et la cassonade.

2 Avec une cuillère en bois, incorporer au premier appareil la farine mélangée avec le bicarbonate de soude et le sel.

3 Ajouter les noix et mélanger.

4 Diviser la pâte en 2 et façonner chaque portion en un rectangle.

Biscuits aux raisins de Corinthe

(2 douzaines)

125 ml	**beurre non salé**	**½ tasse**
125 ml	**sucre super fin**	**½ tasse**
1	**œuf**	**1**
15 ml	**lait**	**1 c. à s.**
2 ml	**extrait de vanille**	**½ c. à t.**
375 ml	**farine tout usage**	**1½ tasse**
5 ml	**poudre à pâte**	**1 c. à t.**
1	**pincée de sel**	**1**
50 ml	**raisins de Corinthe**	**¼ tasse**
	cassonade	

- Dans un grand bol, battre en crème le beurre et le sucre. Ajouter l'œuf et bien mélanger.
- Dans un petit bol, mélanger le lait avec l'extrait de vanille.
- Tamiser ensemble tous les ingrédients secs, sauf la cassonade. Laver les raisins et les ajouter aux ingrédients secs. Incorporer peu à peu ce mélange au premier appareil en alternant avec le lait vanillé. Façonner la pâte en rouleaux de 5 cm (2 po) de diamètre; les laisser reposer au réfrigérateur 12 heures.
- Préchauffer le four à 180 °C (350 °F). Graisser et fariner une plaque à biscuits.
- Détailler les rouleaux en tranches de 6 mm (¼ po) d'épaisseur et les déposer sur la plaque. Les saupoudrer de cassonade et les faire cuire au four environ 10 minutes. Déposer les biscuits sur une grille et les laisser refroidir.

Recette de l'Institut de tourisme et d'hôtellerie du Québec

CROQUETTES AUX CERISES

(3 douzaines)

250 ml	**beurre non salé**	**1 tasse**
500 ml	**sucre glace**	**2 tasses**
1	**œuf**	**1**
2	**jaunes d'œufs**	**2**
875 ml	**farine à pâtisserie**	**3½ tasses**
175 ml	**amandes hachées**	**¾ tasse**
175 ml	**cerises grossièrement hachées**	**¾ tasse**
	zeste râpé de 1 citron	

- Battre en crème le beurre et le sucre glace. Ajouter l'œuf, les jaunes d'œufs, le zeste de citron, puis la farine. Incorporer les amandes et les cerises, sans trop pétrir la pâte.
- Déposer une pellicule de plastique au fond de deux moules graissés de 15 cm sur 7,5 cm sur 5 cm (6 po sur 3 po sur 2 po), y déposer la pâte et la laisser reposer au réfrigérateur toute la nuit.
- Préchauffer le four à 180 °C (350 °F). Graisser et fariner une plaque à biscuits.
- Sortir la pâte des moules et la détailler en rectangles de 6 cm sur 5 cm sur 1 cm d'épaisseur (2½ po sur 2 po sur ½ po); les disposer sur la plaque et faire cuire au four de 10 à 12 minutes. Déposer les biscuits sur une grille et les laisser refroidir.

RECETTE DE L'INSTITUT DE TOURISME ET D'HÔTELLERIE DU QUÉBEC

Biscuits à la farine de maïs et à la muscade

(3 douzaines)

175 ml	**sucre**	**¾ tasse**
175 ml	**beurre non salé, ramolli**	**¾ tasse**
2	**jaunes d'œufs**	**2**
300 ml	**farine**	**1¼ tasse**
175 ml	**farine de maïs**	**¾ tasse**
5 ml	**poudre à pâte**	**1 c. à t.**
1 ml	**sel**	**¼ c. à t.**
2 ml	**muscade moulue**	**½ c. à t.**

- Dans un grand bol, battre à vitesse moyenne le sucre et le beurre. Incorporer les jaunes d'œufs et continuer de battre jusqu'à l'obtention d'un appareil léger et mousseux. Ajouter les farines, la poudre à pâte, le sel et la muscade; battre jusqu'à ce que la pâte soit homogène.
- Diviser la pâte en 2 et façonner chacune des portions en un rouleau de 5 cm (2 po) de diamètre. Les envelopper dans une pellicule de plastique et les laisser reposer de 3 heures à 3 jours, au réfrigérateur. (La pâte peut aussi être congelée pendant 6 mois.)
- Préchauffer le four à 180 °C (350 °F). Graisser légèrement une plaque à biscuits.
- Détailler la pâte en tranches de 6 mm (¼ po) d'épaisseur. Les disposer sur la plaque à 5 cm (2 po) d'intervalle. Faire cuire au four de 8 à 10 minutes, jusqu'à ce que les biscuits soient fermes et les bords, légèrement dorés. Les déposer sur une grille et les laisser refroidir. Les conserver dans un contenant hermétique.

BISCUITS AUX DATTES ET AU GERME DE BLÉ

(environ 3 douzaines)

125 ml	**beurre non salé**	**½ tasse**
250 ml	**cassonade**	**1 tasse**
30 ml	**miel**	**2 c. à s.**
1	**gros œuf, battu**	**1**
375 ml	**farine tout usage**	**1½ tasse**
2 ml	**bicarbonate de soude**	**½ c. à t.**
1 ml	**sel**	**¼ c. à t.**
175 ml	**germe de blé**	**¾ tasse**
150 ml	**dattes hachées**	**⅔ tasse**

- Dans un grand bol, battre en crème le beurre et la cassonade. Ajouter le miel et l'œuf; mélanger. Tamiser ensemble la farine, le bicarbonate de soude et le sel. Au premier appareil, incorporer d'abord ces ingrédients, puis le germe de blé et les dattes.
- Façonner la pâte en deux tronçons triangulaires de 2,5 cm (1 po) de côté. Les envelopper dans du papier ciré, puis dans du papier d'aluminium et les laisser reposer au réfrigérateur toute la nuit.
- Préchauffer le four à 180 °C (350 °F). Graisser et fariner une plaque à biscuits.
- Détailler la pâte en tranches de 6 mm (¼ po) d'épaisseur et les disposer sur la plaque. Faire cuire au four de 8 à 10 minutes. Déposer les biscuits sur une grille et les laisser refroidir.

BISCUITS MARBRÉS

(3 douzaines)

1	**carré de chocolat à cuire mi-sucré**	**1**
375 ml	**farine tout usage**	**1½ tasse**
1 ml	**sel**	**¼ c. à t.**
2 ml	**poudre à pâte**	**½ c. à t.**
125 ml	**beurre non salé, ramolli**	**½ tasse**
125 ml	**sucre**	**½ tasse**
1	**gros œuf**	**1**
½	**gousse de vanille**	**½**

- Faire fondre le chocolat au bain-marie, puis le laisser légèrement refroidir.
- Dans un bol, mélanger la farine, le sel et la poudre à pâte; réserver.
- Dans un bol de taille moyenne, à vitesse moyenne, battre en crème le beurre et le sucre. Incorporer l'œuf et battre jusqu'à ce que l'appareil soit léger et mousseux.
- Avec un couteau bien aiguisé, fendre la gousse de vanille sur le long et racler l'intérieur pour en retirer les graines. Les ajouter au premier appareil. Incorporer les ingrédients secs.
- Diviser la pâte en 2 et, sur une feuille de papier ciré, en déposer une portion. Bien incorporer le chocolat à la seconde portion. Pétrir grossièrement les 2 portions de pâte ensemble pour former une boule marbrée.
- Façonner la pâte en 2 rouleaux de 5 cm (2 po) de diamètre et de 15 cm (6 po) de long. Bien les envelopper dans du papier ciré ou dans une pellicule de plastique et les laisser reposer toute la nuit au réfrigérateur.
- Préchauffer le four à 190 °C (375 °F). Graisser légèrement une plaque à biscuits.
- Détailler la pâte en tranches de 6 mm (¼ po) d'épaisseur et les disposer sur la plaque, à 2,5 cm (1 po) d'intervalle. Faire cuire au milieu du four de 8 à 10 minutes; éviter que les biscuits ne brunissent. Les déposer sur une grille et les laisser refroidir. Conserver dans un contenant hermétique. Bien enveloppés, ces biscuits peuvent être congelés.

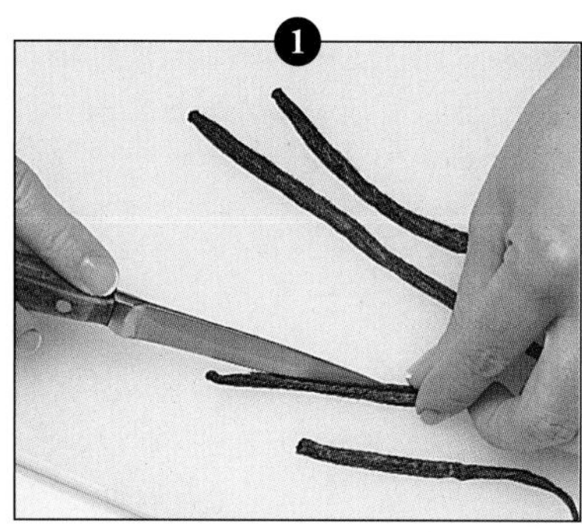

1. Avec un couteau bien aiguisé, fendre la gousse de vanille sur le long.

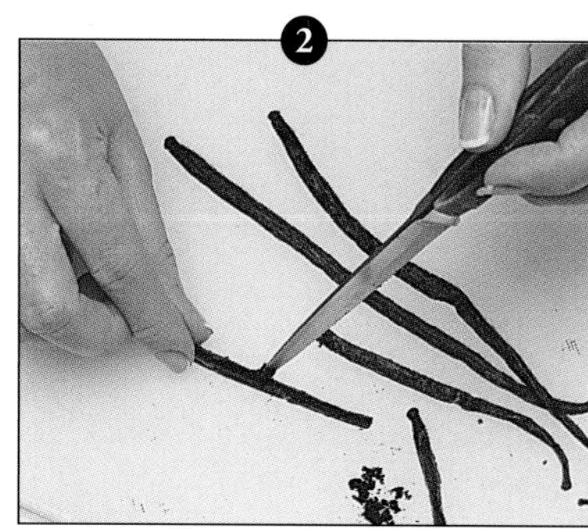

2. Racler l'intérieur.

3. En retirer les graines.

BISCUITS À LA CANNELLE ET AUX AMANDES

(3 douzaines)

30 ml	**graisse végétale**	**2 c. à s.**
45 ml	**beurre non salé**	**3 c. à s.**
175 ml	**cassonade**	**¾ tasse**
2	**œufs, battus**	**2**
325 ml	**farine tout usage**	**1⅓ tasse**
2 ml	**bicarbonate de soude**	**½ c. à t.**
5 ml	**cannelle**	**1 c. à t.**
1	**pincée de sel**	**1**
45 ml	**amandes hachées**	**3 c. à s.**

- Dans un grand bol, battre en crème la graisse végétale et le beurre. Incorporer la cassonade, puis les œufs.
- Tamiser ensemble les ingrédients secs, puis les incorporer au premier appareil. Ajouter les amandes et mélanger.
- Façonner la pâte en 2 rouleaux, puis leur donner une forme triangulaire de 5 cm (2 po) de côté; les laisser reposer au réfrigérateur environ 12 heures.
- Préchauffer le four à 200 °C (400 °F). Graisser une plaque à biscuits.
- Détailler la pâte en tranches de 6 mm (¼ po) d'épaisseur, les disposer sur la plaque et les faire cuire au four 10 minutes. Déposer les biscuits sur une grille et les laisser refroidir.

RECETTE DE L'INSTITUT DE TOURISME ET D'HÔTELLERIE DU QUÉBEC

Biscuits à la cuillère

Comme leur nom l'indique, les biscuits à la cuillère ont la particularité d'être déposés à la cuillère sur la plaque de cuisson. Pourquoi ne pas utiliser une petite cuillère à crème glacée pour les façonner? Ainsi, une fois cuits, ils auront la même texture, la même forme et la même couleur.

Vous serez ravis de constater que tout en étant les plus faciles et les plus rapides à préparer, ces délicieux biscuits conviennent à toutes les occasions.

CROQUETS AU GINGEMBRE CRISTALLISÉ

(2 douzaines)

375 ml	**farine tout usage**	**1½ tasse**
2 ml	**sel**	**½ c. à t.**
2 ml	**bicarbonate de soude**	**½ c. à t.**
125 ml	**graisse végétale**	**½ tasse**
175 ml	**sucre**	**¾ tasse**
125 ml	**lait évaporé**	**½ tasse**
125 ml	**gingembre cristallisé haché**	**½ tasse**
	zeste râpé de 1 orange	

- Préchauffer le four à 190 °C (375 °F). Graisser une plaque à biscuits.
- Tamiser ensemble la farine, le sel et le bicarbonate de soude; réserver.
- Dans un grand bol, battre en crème la graisse végétale et le sucre. Incorporer tour à tour le lait évaporé, les ingrédients secs, le gingembre et le zeste d'orange.
- Déposer la pâte à la cuillère sur la plaque. Faire cuire au four 12 minutes, puis déposer les biscuits sur une grille et les laisser refroidir.

Macarons à la noix de coco

(2 douzaines)

500 ml	**sucre glace**	**2 tasses**
625 ml	**noix de coco finement râpée**	**2½ tasses**
4	**blancs d'œufs**	**4**
125 ml	**crème 35 %**	**½ tasse**
5 ml	**extrait de vanille**	**1 c. à t.**
1	**pincée de sel**	**1**

- Préchauffer le four à 160 °C (325 °F).
- Dans un bol, mélanger le sucre glace avec la noix de coco. Dans un autre bol, battre les blancs d'œufs en neige et les incorporer au premier mélange.
- Fouetter la crème jusqu'à la formation de pics fermes. L'incorporer délicatement au premier appareil, avec l'extrait de vanille et le sel.
- Déposer la pâte à la cuillère sur une plaque à revêtement antiadhésif. Faire cuire au four environ 15 minutes, ou jusqu'à ce que les macarons soient bien dorés. Si désiré, les passer sous le gril 2 minutes. Déposer les biscuits sur une grille et les laisser refroidir.

Recette de l'Institut de tourisme et d'hôtellerie du Québec

ROCHERS AUX RAISINS SECS ET AUX PACANES

(environ 3 douzaines)

250 ml	**beurre non salé, ramolli**	**1 tasse**
425 ml	**cassonade**	**1¾ tasse**
3	**gros œufs**	**3**
500 ml	**raisins secs dorés**	**2 tasses**
750 ml	**farine tout usage**	**3 tasses**
250 ml	**pacanes hachées**	**1 tasse**
10 ml	**bicarbonate de soude**	**2 c. à t.**
10 ml	**cannelle moulue**	**2 c. à t.**
1	**pincée de sel**	**1**

- Préchauffer le four à 180 °C (350 °F). Graisser et fariner légèrement une plaque à biscuits.
- Dans un grand bol, battre en crème le beurre. Y ajouter la cassonade et bien mélanger. Ajouter les œufs un à un, en battant bien après chaque addition.
- Fariner les raisins avec 50 ml (¼ tasse) de farine. Les incorporer, avec les pacanes, au premier appareil.
- Tamiser ensemble le reste de la farine, le bicarbonate de soude, la cannelle et le sel. Ajouter au premier appareil et bien mélanger. La pâte devrait être ferme.
- Déposer la pâte à la cuillère sur la plaque. Faire cuire au four 15 minutes, jusqu'à ce que les biscuits soient bien dorés. Les déposer sur une grille et les laisser refroidir.

BISCUITS À L'ORANGE ET AUX NOIX

(3 douzaines)

125 ml	beurre non salé	½ tasse
375 ml	sucre	1½ tasse
2	œufs, battus	2
500 ml	farine tout usage	2 tasses
5 ml	poudre à pâte	1 c. à t.
1 ml	sel	¼ c. à t.
15 ml	zeste d'orange	1 c. à s.
75 ml	jus d'orange	⅓ tasse
1 ml	extrait de citron	¼ c. à t.
50 ml	noix du Brésil	¼ tasse
175 ml	noix hachées finement	¾ tasse

GLACE

250 ml	sucre glace	1 tasse
30 ml	eau	2 c. à s.
5 ml	jus de citron	1 c. à t.

- Préchauffer le four à 180 °C (350 °F). Graisser une plaque à biscuits.
- Battre en crème le beurre et le sucre. Ajouter les œufs et bien mélanger. Tamiser ensemble les ingrédients secs et les incorporer au premier appareil. Ajouter le zeste d'orange, le jus d'orange et l'extrait de citron. Incorporer les noix du Brésil.
- Déposer la pâte à la cuillère sur la plaque, à 5 cm (2 po) d'intervalle. Faire cuire au four de 10 à 12 minutes.
- Mélanger les ingrédients de la glace, en napper les biscuits encore chauds, les parsemer de noix hachées et laisser refroidir.

RECETTE DE L'INSTITUT DE TOURISME ET D'HÔTELLERIE DU QUÉBEC

CRISPETTES

(2 douzaines)

125 ml	beurre non salé	½ tasse
125 ml	cassonade	½ tasse
1	œuf	1
175 ml	flocons d'avoine	¾ tasse
125 ml	noix de coco râpée	½ tasse
250 ml	farine	1 tasse
0,5 ml	bicarbonate de soude	⅛ c. à t.
5 ml	poudre à pâte	1 c. à t.
1	pincée de sel	1

- Préchauffer le four à 160 °C (325 °F). Graisser une plaque à biscuits.
- Dans un grand bol, battre le beurre en crème. Sans cesser de battre, y incorporer la cassonade, puis l'œuf, les flocons d'avoine et la noix de coco. Tamiser ensemble les ingrédients secs. Les ajouter au premier appareil et bien mélanger.
- Déposer la pâte à la cuillère sur la plaque, à 5 cm (2 po) d'intervalle. Aplatir légèrement la pâte avec une fourchette. Faire cuire au four de 12 à 15 minutes et, si désiré, passer sous le gril 30 secondes. Déposer les biscuits sur une grille et les laisser refroidir.

RECETTE DE L'INSTITUT DE TOURISME ET D'HÔTELLERIE DU QUÉBEC

BISCUITS AUX POMMES ET À L'AVOINE

(3 douzaines)

3	**pommes, pelées, évidées et tranchées**	**3**
30 ml	**sucre super fin**	**2 c. à s.**
1 ml	**cannelle moulue**	**¼ c. à t.**
250 ml	**beurre non salé, ramolli**	**1 tasse**
250 ml	**cassonade**	**1 tasse**
125 ml	**sucre**	**½ tasse**
2	**œufs**	**2**
5 ml	**extrait de vanille**	**1 c. à t.**
300 ml	**farine tout usage**	**1¼ tasse**
5 ml	**bicarbonate de soude**	**1 c. à t.**
1 ml	**sel**	**¼ c. à t.**
2 ml	**muscade râpée**	**½ c. à t.**
750 ml	**flocons d'avoine**	**3 tasses**

- Préchauffer le four à 180 °C (350 °F). Graisser légèrement une plaque à biscuits.
- Dans une petite casserole, faire cuire à feu doux les pommes, le sucre super fin et la cannelle, jusqu'à ce que les pommes ramollissent et que la préparation épaississe. Retirer du feu et réserver.
- Dans un grand bol, battre en crème le beurre, la cassonade et le sucre. Incorporer les œufs et l'extrait de vanille.
- Tamiser ensemble la farine, le bicarbonate de soude, le sel et la muscade. Ajouter au premier appareil et bien mélanger. Incorporer les flocons d'avoine, puis les pommes.
- Déposer la pâte à la cuillère sur la plaque. Faire cuire au four de 10 à 12 minutes, puis déposer les biscuits sur une grille et les laisser refroidir.

Dans une petite casserole, faire cuire à feu doux les pommes, le sucre super fin et la cannelle.

Tamiser ensemble la farine, le bicarbonate de soude, le sel et la muscade. Ajouter au premier appareil et bien mélanger.

Incorporer les flocons d'avoine, puis les pommes.

BISCUITS À LA CITROUILLE ET AUX RAISINS DE CORINTHE

(2 douzaines)

125 ml	**beurre non salé**	**½ tasse**
250 ml	**cassonade**	**1 tasse**
2	**œufs**	**2**
300 ml	**purée de citrouille**	**1¼ tasse**
500 ml	**farine à pâtisserie**	**2 tasses**
15 ml	**poudre à pâte**	**1 c. à s.**
5 ml	**cannelle moulue**	**1 c. à t.**
1 ml	**muscade râpée**	**¼ c. à t.**
1 ml	**sel**	**¼ c. à t.**
150 ml	**raisins de Corinthe**	**⅔ tasse**

- Préchauffer le four à 180 °C (350 °F). Graisser une plaque à biscuits.
- Dans un grand bol, battre en crème le beurre et la cassonade. Ajouter les œufs et la purée de citrouille; mélanger. Incorporer tous les autres ingrédients.
- Déposer la pâte à la cuillère sur la plaque et faire cuire au four, 10 minutes. Déposer les biscuits sur une grille et les laisser refroidir.

RECETTE DE L'INSTITUT DE TOURISME ET D'HÔTELLERIE DU QUÉBEC

Biscuits aux fruits

(environ 2½ douzaines)

625 ml	**farine à pâtisserie**	**2½ tasses**
1 ml	**sel**	**¼ c. à t.**
1 ml	**muscade râpée**	**¼ c. à t.**
1 ml	**bicarbonate de soude**	**¼ c. à t.**
1	**pincée de clous de girofle moulus**	**1**
175 ml	**beurre non salé**	**¾ tasse**
250 ml	**sucre**	**1 tasse**
1	**œuf**	**1**
50 ml	**lait évaporé**	**¼ tasse**
250 ml	**fruits confits hachés**	**1 tasse**

- Préchauffer le four à 190 °C (375 °F). Graisser une plaque à biscuits.
- Tamiser ensemble la farine, le sel, la muscade, le bicarbonate de soude et les clous de girofle; réserver. Dans un grand bol, battre en crème le beurre. Y incorporer le sucre, puis l'œuf; bien mélanger après chaque addition. Incorporer tour à tour la moitié des ingrédients secs, le lait évaporé, le reste des ingrédients secs, puis les fruits confits.
- Déposer la pâte à la cuillère sur la plaque. Faire cuire au four environ 12 minutes, puis déposer les biscuits sur une grille et les laisser refroidir.

Biscuits crémeux à l'ananas et au rhum

(2½ douzaines)

500 ml	**farine tout usage**	**2 tasses**
7 ml	**poudre à pâte**	**1½ c. à t.**
1 ml	**sel**	**¼ c. à t.**
1 ml	**bicarbonate de soude**	**¼ c. à t.**
150 ml	**graisse végétale**	**⅔ tasse**
250 ml	**cassonade**	**1 tasse**
50 ml	**sucre**	**¼ tasse**
2	**œufs**	**2**
250 ml	**ananas, en dés, bien égoutté**	**1 tasse**
5 ml	**saveur artificielle de rhum**	**1 c. à t.**

- Préchauffer le four à 200 °C (400 °F).
- Tamiser ensemble la farine, la poudre à pâte, le sel et le bicarbonate de soude; réserver.
- Dans un grand bol, battre en crème la graisse végétale. Ajouter la cassonade et le sucre; battre jusqu'à ce que le mélange soit homogène. Y incorporer les œufs un à un, puis l'ananas et la saveur de rhum. Ajouter les ingrédients secs et bien mélanger.
- Sur une plaque à biscuits non graissée, déposer la pâte à la cuillère. Faire cuire au four environ 10 minutes, puis déposer les biscuits sur une grille et les laisser refroidir.

BISCUITS À L'ÉRABLE ET AUX PACANES

(2½ douzaines)

250 ml	**beurre non salé**	**1 tasse**
375 ml	**cassonade**	**1½ tasse**
2	**œufs**	**2**
5 ml	**essence d'érable**	**1 c. à t.**
575 ml	**farine tout usage**	**2⅓ tasses**
5 ml	**bicarbonate de soude**	**1 c. à t.**
2 ml	**sel**	**½ c. à t.**
2 ml	**poudre à pâte**	**½ c. à t.**
45 ml	**sirop d'érable**	**3 c. à s.**
300 ml	**pacanes hachées**	**1¼ tasse**

- Préchauffer le four à 200 °C (400 °F). Graisser et fariner une plaque à biscuits.
- Dans un grand bol, battre le beurre et la cassonade jusqu'à l'obtention d'une crème légère et mousseuse. Y incorporer les œufs et l'essence d'érable.
- Tamiser ensemble les ingrédients secs. Les ajouter au premier appareil et bien mélanger. Incorporer le sirop d'érable et les pacanes.
- Déposer la pâte à la cuillère sur la plaque. Faire cuire au four environ 12 minutes, puis déposer les biscuits sur une grille et les laisser refroidir.

NOTE : *il est possible de remplacer la cassonade par du sucre d'érable râpé.*

BISCUITS AU BEURRE D'ARACHIDE ET AUX CÉRÉALES

(2 douzaines)

125 ml	**beurre d'arachide**	**½ tasse**
30 ml	**huile végétale**	**2 c. à s.**
250 ml	**cassonade**	**1 tasse**
1	**gros œuf, battu**	**1**
125 ml	**farine tout usage**	**½ tasse**
1 ml	**sel**	**¼ c. à t.**
2 ml	**bicarbonate de soude**	**½ c. à t.**
175 ml	**céréales multi-grains écrasées**	**¾ tasse**

- Préchauffer le four à 180 °C (350 °F).
- Dans un grand bol, mélanger le beurre d'arachide, l'huile et la cassonade. Incorporer l'œuf.
- Tamiser ensemble la farine, le sel et le bicarbonate de soude. Ajouter ces ingrédients au premier appareil et bien mélanger. Incorporer les céréales.
- Déposer la pâte à la cuillère sur une plaque à biscuits non graissée et aplatir la pâte légèrement avec une fourchette. Faire cuire au four de 10 à 12 minutes, puis déposer les biscuits sur une grille et les laisser refroidir.

BISCUITS À LA VANILLE ET AUX CANNEBERGES

(4½ douzaines)

175 ml	**beurre non salé, ramolli**	**¾ tasse**
125 ml	**cassonade, bien tassée**	**½ tasse**
125 ml	**miel**	**½ tasse**
1	**œuf**	**1**
5 ml	**extrait de vanille**	**1 c. à t.**
500 ml	**farine tout usage**	**2 tasses**
4 ml	**bicarbonate de soude**	**¾ c. à t.**
2 ml	**poudre à pâte**	**½ c. à t.**
250 ml	**canneberges hachées**	**1 tasse**

- Préchauffer le four à 190 °C (375 °F). Graisser et fariner une plaque à biscuits.
- Dans un grand bol, battre à vitesse moyenne le beurre, la cassonade, le miel, l'œuf et l'extrait de vanille jusqu'à l'obtention d'un mélange homogène. Ajouter les ingrédients secs, sauf les canneberges, et bien mélanger. Avec une cuillère en bois, incorporer les canneberges.
- Déposer la pâte à la cuillère sur la plaque et faire cuire au four de 6 à 9 minutes, ou jusqu'à ce que les biscuits soient dorés.
- Les déposer sur une grille et les laisser refroidir. Saupoudrer de sucre glace, si désiré.

Biscuits à la banane et aux flocons d'avoine

(3 douzaines)

125 ml	**graisse végétale**	**½ tasse**
250 ml	**sucre**	**1 tasse**
2	**œufs, battus**	**2**
3	**bananes, écrasées**	**3**
325 ml	**flocons d'avoine**	**1⅓ tasse**
175 ml	**noix de Grenoble hachées**	**¾ tasse**
375 ml	**farine tout usage**	**1½ tasse**
4 ml	**bicarbonate de soude**	**¾ c. à t.**
1 ml	**muscade râpée**	**¼ c. à t.**
4 ml	**sel**	**¾ c. à t.**

- Préchauffer le four à 190 °C (375 °F). Graisser et fariner une plaque à biscuits.
- Dans un grand bol, battre en crème la graisse végétale, puis y incorporer le sucre. Ajouter tour à tour les œufs, les bananes, les flocons d'avoine et les noix de Grenoble, en mélangeant bien après chaque addition.
- Tamiser ensemble le reste des ingrédients secs et les incorporer au premier appareil.
- Déposer la pâte à la cuillère sur une plaque; faire cuire au four de 10 à 12 minutes, puis déposer les biscuits sur une grille et les laisser refroidir.

Recette de l'Institut de tourisme et d'hôtellerie du Québec

BISCUITS AUX RAISINS ET AUX NOIX

(3 douzaines)

625 ml	**farine tout usage**	**2½ tasses**
5 ml	**quatre-épices**	**1 c. à t.**
5 ml	**cannelle moulue**	**1 c. à t.**
2 ml	**muscade râpée**	**½ c. à t.**
1 ml	**sel**	**¼ c. à t.**
3	**gros œufs**	**3**
375 ml	**sucre**	**1½ tasse**
2 ml	**bicarbonate de soude**	**½ c. à t.**
45 ml	**eau chaude**	**3 c. à s.**
125 ml	**beurre non salé, ramolli**	**½ tasse**
50 ml	**graisse végétale**	**¼ tasse**
175 ml	**noix de macadamia hachées**	**¾ tasse**
125 ml	**pacanes hachées**	**½ tasse**
175 ml	**raisins Thompson ou Sultana, hachés**	**¾ tasse**

- Préchauffer le four à 190 °C (375 °F). Graisser une plaque à biscuits.
- Tamiser ensemble, à deux reprises, la farine, le quatre-épices, la cannelle, la muscade et le sel; réserver.
- Dans un grand bol, battre les œufs et le sucre. Dans un petit bol, diluer le bicarbonate de soude dans l'eau chaude. Incorporer au mélange aux œufs. Tour à tour, incorporer le beurre, la graisse végétale, les ingrédients secs, les noix et les raisins.
- Sur la plaque, déposer la pâte par 30 ml (2 c. à s.), à 5 cm (2 po) d'intervalle. Faire cuire au four environ 12 minutes, puis déposer les biscuits sur une grille et les laisser refroidir.

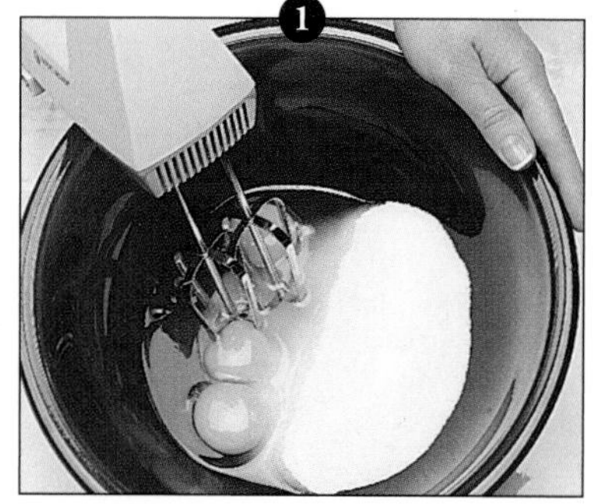

Dans un grand bol, battre les œufs et le sucre.

Incorporer le beurre et la graisse.

Incorporer les noix et les raisins.

BISCUITS AUX FRUITS ET À L'AVOINE

(3 douzaines)

250 ml	**beurre non salé, ramolli**	**1 tasse**
250 ml	**cassonade**	**1 tasse**
125 ml	**sucre**	**½ tasse**
2	**gros œufs**	**2**
30 ml	**crème légère**	**2 c. à s.**
5 ml	**extrait de vanille**	**1 c. à t.**
625 ml	**farine tout usage**	**2½ tasses**
2 ml	**bicarbonate de soude**	**½ c. à t.**
1	**pincée de sel**	**1**
1	**pincée de cannelle moulue**	**1**
1	**pincée de muscade râpée**	**1**
75 ml	**abricots séchés hachés**	**⅓ tasse**
75 ml	**papaye séchée hachée**	**⅓ tasse**
75 ml	**ananas séché haché**	**⅓ tasse**
45 ml	**farine tout usage**	**3 c. à s.**
500 ml	**flocons d'avoine**	**2 tasses**

- Préchauffer le four à 190 °C (375 °F). Graisser et fariner une plaque à biscuits.
- Dans un grand bol, battre en crème le beurre, la cassonade et le sucre. Incorporer les œufs, la crème et l'extrait de vanille.
- Tamiser ensemble 625 ml (2½ tasses) de farine, le bicarbonate de soude, le sel, la cannelle et la muscade. Ajouter au premier appareil et bien mélanger. Fariner les fruits séchés avec 45 ml (3 c. à s.) de farine et les incorporer à la pâte. Ajouter les flocons d'avoine et mélanger.
- Sur la plaque, déposer la pâte par doubles cuillerées, puis l'aplatir avec le dos d'une cuillère. Faire cuire au four de 10 à 12 minutes, jusqu'à ce que les bords soient dorés. Déposer les biscuits sur une grille et les laisser refroidir.

CROQUETS AUX FLOCONS D'AVOINE

(environ 2 douzaines)

75 ml	**graisse végétale**	**⅓ tasse**
250 ml	**cassonade**	**1 tasse**
1	**gros œuf**	**1**
300 ml	**farine tout usage**	**1¼ tasse**
5 ml	**poudre à pâte**	**1 c. à t.**
1 ml	**sel**	**¼ c. à t.**
50 ml	**lait**	**¼ tasse**
250 ml	**flocons d'avoine**	**1 tasse**
125 ml	**raisins secs**	**½ tasse**
125 ml	**noix de Grenoble hachées**	**½ tasse**

- Préchauffer le four à 190 °C (375 °F).
- Dans un grand bol, battre en crème la graisse végétale et la cassonade. Incorporer l'œuf. Au-dessus de la pâte, tamiser ensemble la farine, la poudre à pâte et le sel. Mélanger avec une cuillère en bois ou au batteur électrique.
- Ajouter le lait et bien remuer. Incorporer les flocons d'avoine, les raisins et les noix.
- Déposer la pâte à la cuillère sur une plaque à biscuits non graissée. Faire cuire au four de 10 à 12 minutes, puis déposer les biscuits sur une grille et les laisser refroidir.

Biscuits à l'emporte-pièce

Les biscuits à l'emporte-pièce sont un véritable régal tant pour les yeux que pour le palais. Sans compter que pour beaucoup de gens, ils évoquent d'agréables souvenirs. L'important, pour bien les réussir, c'est de laisser reposer la pâte de 1 à 2 heures au réfrigérateur afin qu'elle soit ferme. Ensuite, le choix des découpes étant nombreux, il n'en tient qu'à vous de laisser libre cours à votre fantaisie.

Ces biscuits seront toujours à l'honneur, qu'il s'agisse d'une fête pour enfants ou d'une autre occasion.

BISCUITS AU YOGOURT ET À LA MÉLASSE

(3 douzaines)

250 ml	**beurre non salé**	**1 tasse**
250 ml	**sucre**	**1 tasse**
250 ml	**mélasse**	**1 tasse**
125 ml	**cassonade**	**½ tasse**
1	**œuf**	**1**
1 litre	**farine tout usage**	**4 tasses**
1	**pincée de sel**	**1**
5 ml	**bicarbonate de soude**	**1 c. à t.**
2 ml	**gingembre moulu**	**½ c. à t.**
2 ml	**clous de girofle moulus**	**½ c. à t.**
175 ml	**yogourt nature ou parfumé**	**¾ tasse**
2 ml	**extrait de vanille**	**½ c. à t.**

- Dans un grand bol, battre le beurre en crème. Y incorporer le sucre, la mélasse et la cassonade. Ajouter l'œuf et battre jusqu'à ce que le mélange soit mousseux.
- Tamiser ensemble la farine, le sel, le bicarbonate de soude et les épices. Ajouter ces ingrédients au premier appareil et bien mélanger. Incorporer le yogourt et l'extrait de vanille.
- Façonner la pâte en une grosse boule; la laisser reposer au réfrigérateur au moins 12 heures.
- Préchauffer le four à 180 °C (350 °F). Graisser une plaque à biscuits.
- Sur un plan de travail fariné et parsemé de sucre, abaisser la pâte à 6 mm (¼ po) d'épaisseur. La détailler à l'emporte-pièce, puis déposer les biscuits sur la plaque.
- Faire cuire au four de 12 à 15 minutes, puis déposer les biscuits sur une grille et les laisser refroidir.

RECETTE DE L'INSTITUT DE TOURISME ET D'HÔTELLERIE DU QUÉBEC

BISCUITS AU RHUM ET À LA NOIX DE COCO

(2 douzaines)

250 ml	**beurre non salé, ramolli**	**1 tasse**
250 ml	**cassonade**	**1 tasse**
2	**petits œufs**	**2**
5 ml	**extrait de vanille**	**1 c. à t.**
2 ml	**arôme artificiel de rhum**	**½ c. à t.**
625 ml	**farine, tamisée**	**2½ tasses**
5 ml	**poudre à pâte**	**1 c. à t.**
1	**pincée de sel**	**1**
	noix de coco sucrée finement râpée	

- Dans un grand bol, battre en crème le beurre et la cassonade. Incorporer les œufs, l'extrait de vanille et l'arôme de rhum.
- Mélanger la farine avec la poudre à pâte et le sel. Ajouter au premier appareil et mélanger. Couvrir la pâte d'une pellicule de plastique et laisser reposer au réfrigérateur 2 heures.
- Préchauffer le four à 190 °C (375 °F). Graisser et fariner une plaque à biscuits.
- Sur un plan de travail fariné, façonner la pâte en un rouleau, puis le détailler en tranches. Les disposer sur la plaque, les parsemer de noix de coco râpée et appuyer délicatement dessus.
- Faire cuire au four de 10 à 12 minutes, puis déposer les biscuits sur une grille et les laisser refroidir.

Biscuits à la cardamome

(environ 3 douzaines)

75 ml	**graisse végétale**	**⅓ tasse**
175 ml	**sucre**	**¾ tasse**
1	**œuf**	**1**
15 ml	**jus d'orange**	**1 c. à s.**
5 ml	**cardamome moulue**	**1 c. à t.**
2 ml	**cannelle moulue**	**½ c. à t.**
375 ml	**farine tout usage**	**1½ tasse**

Glace au citron

250 ml	**sucre glace**	**1 tasse**
30 à 45 ml	**jus de citron**	**2 à 3 c. à s.**

- Préchauffer le four à 190 °C (375 °F). Graisser légèrement une plaque à biscuits.
- Dans un grand bol, battre en crème la graisse végétale et le sucre. Incorporer tour à tour l'œuf, le jus d'orange, la cardamome, la cannelle, puis, peu à peu, la farine.
- Diviser la pâte en 2 et, sur un plan de travail fariné, abaisser chaque portion à 3 mm (⅛ po) d'épaisseur. Détailler la pâte avec des emporte-pièce de diverses formes; disposer sur la plaque et faire cuire au four de 8 à 10 minutes, jusqu'à ce que les biscuits commencent à brunir. Les déposer sur une grille et les laisser refroidir.
- Mélanger les ingrédients de la glace et décorer les biscuits à l'aide d'une poche à douille fine. Les conserver dans un contenant hermétique.

SABLÉS À L'AVOINE

(2 douzaines)

125 ml	**beurre non salé**	**½ tasse**
175 ml	**sucre**	**¾ tasse**
1	**œuf**	**1**
50 ml	**miel**	**¼ tasse**
30 ml	**yogourt nature**	**2 c. à s.**
5 ml	**cannelle moulue**	**1 c. à t.**
1 ml	**quatre-épices**	**¼ c. à t.**
500 ml	**farine tout usage**	**2 tasses**
250 ml	**farine d'avoine**	**1 tasse**
10 ml	**poudre à pâte**	**2 c. à t.**

- Préchauffer le four à 180 °C (350 °F). Graisser légèrement une plaque à biscuits.
- Dans un grand bol, battre le beurre et le sucre jusqu'à l'obtention d'une crème légère et mousseuse. Ajouter tour à tour l'œuf, le miel, le yogourt, la cannelle et le quatre-épices, en mélangeant bien après chaque addition. Mélanger les farines et la poudre à pâte. Incorporer ces ingrédients au premier appareil en remuant, à la toute fin, avec une cuillère en bois.
- Sur un plan de travail fariné, pétrir la pâte jusqu'à ce qu'elle soit homogène. La diviser en 3 et abaisser chaque portion en un rond de 15 cm (6 po) de diamètre. Pincer les bords de la pâte avec les doigts. Avec un couteau, inciser légèrement la surface de manière à former 8 pointes et la piquer à la fourchette. À l'aide de 2 spatules, déposer les ronds de pâte sur la plaque. Faire cuire au four de 18 à 20 minutes, jusqu'à ce que la pâte commence à brunir. Retirer du four, séparer les pointes, les déposer sur une grille et les laisser refroidir.

NOTE : *Il est possible de préparer soi-même de la farine d'avoine en pulvérisant des flocons d'avoine au robot culinaire.*

Pincer les bords de la pâte avec les doigts.

Avec un couteau, inciser légèrement la surface de manière à former 8 pointes.

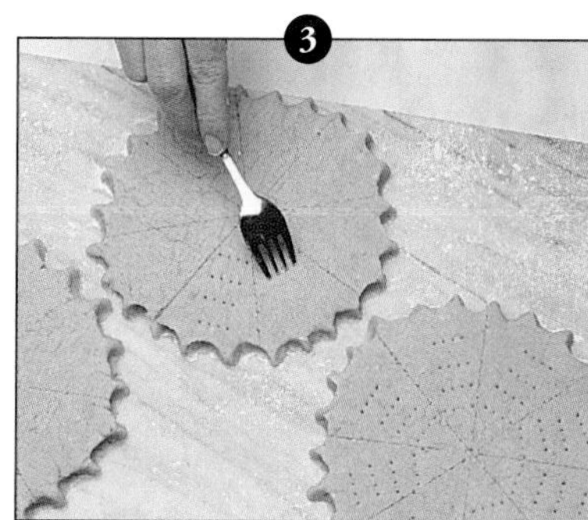

Piquer la surface de la pâte à la fourchette.

GALETTES À LA MÉLASSE

(2 douzaines)

250 ml	**beurre non salé**	**1 tasse**
250 ml	**sucre**	**1 tasse**
1	**œuf**	**1**
10 ml	**bicarbonate de soude**	**2 c. à t.**
250 ml	**mélasse**	**1 tasse**
1 ml	**cannelle moulue**	**¼ c. à t.**
1 ml	**clous de girofle moulus**	**¼ c. à t.**
5 ml	**sel**	**1 c. à t.**
10 ml	**gingembre moulu**	**2 c. à t.**
5 ml	**moutarde sèche**	**1 c. à t.**
1,25 litre	**farine tout usage**	**5 tasses**
150 ml	**café fort, froid**	**⅔ tasse**

- Préchauffer le four à 180 °C (350 °F). Graisser une plaque à biscuits.
- Dans un grand bol, battre en crème le beurre et le sucre. Incorporer l'œuf. Dans un autre bol, mélanger le bicarbonate de soude et la mélasse, puis incorporer ce mélange au premier appareil. Ajouter les épices. Tamiser la farine et l'incorporer au mélange, en alternant avec le café.
- Abaisser la pâte à 1 cm (½ po) d'épaisseur. La détailler avec un emporte-pièce de 7,5 cm (3 po) de diamètre. Disposer les ronds sur la plaque et y tracer des sillons ou des croisillons à la fourchette, si désiré. Faire cuire au four 15 minutes, puis déposer les galettes sur une grille et les laisser refroidir.

RECETTE DE L'INSTITUT DE TOURISME ET D'HÔTELLERIE DU QUÉBEC

BISCUITS SECS

(2 douzaines)

150 ml	**beurre non salé**	**⅔ tasse**
150 ml	**sucre**	**⅔ tasse**
1	**œuf, battu**	**1**
2 ml	**essence au choix (vanille, amande, érable, etc.)**	**½ c. à t.**
500 ml	**farine**	**2 tasses**
2 ml	**bicarbonate de soude**	**½ c. à t.**
7 ml	**crème de tartre**	**1½ c. à t.**
1 ml	**sel**	**¼ c. à t.**

- Préchauffer le four à 180 °C (350 °F). Graisser une plaque à biscuits.
- Dans un grand bol, battre le beurre en crème. Tout en mélangeant, ajouter graduellement le sucre, puis l'œuf et l'essence aromatisée.
- Tamiser ensemble les ingrédients secs; les incorporer au premier appareil pour obtenir une pâte assez ferme. Abaisser la pâte à 1 cm (½ po) d'épaisseur. La détailler à l'emporte-pièce, disposer les biscuits sur la plaque, les piquer avec les dents d'une fourchette et les faire cuire au four de 10 à 12 minutes. Les déposer sur une grille et les laisser refroidir.

Recette de l'Institut de tourisme et d'hôtellerie du Québec

Biscuits moka

(environ 4 douzaines)

75 ml	**graisse végétale**	**⅓ tasse**
175 ml	**sucre**	**¾ tasse**
1	**œuf**	**1**
15 ml	**café espresso froid**	**1 c. à s.**
375 ml	**farine tout usage**	**1½ tasse**
30 ml	**café instantané en poudre**	**2 c. à s.**
5 ml	**cannelle moulue**	**1 c. à t.**
	grains de café	

- Préchauffer le four à 190 °C (375 °F).
- Dans un grand bol, battre en crème la graisse végétale et le sucre. Incorporer l'œuf et le café espresso. Mélanger la farine, le café instantané et la cannelle. Ajouter peu à peu ces ingrédients au premier appareil et mélanger après chaque addition. Pétrir la pâte jusqu'à ce qu'elle devienne homogène et élastique.
- Diviser la pâte en 2 et, sur un plan de travail fariné, abaisser chaque portion aussi finement que possible. Avec un emporte-pièce à bord dentelé, détailler la pâte en ronds de 5 cm (2 po) de diamètre. Les disposer sur une plaque à biscuits non graissée et déposer un grain de café au centre.
- Faire cuire au four de 8 à 10 minutes, jusqu'à ce que les bords commencent à brunir. Déposer les biscuits sur une grille et les laisser refroidir.

BISCUITS AUX ÉCLATS À L'ÉRABLE

(2½ douzaines)

125 ml	**sirop d'érable**	**½ tasse**
45 ml	**beurre non salé**	**3 c. à s.**
75 ml	**amandes entières avec leur peau**	**⅓ tasse**
750 ml	**farine tout usage**	**3 tasses**
10 ml	**poudre à pâte**	**2 c. à t.**
1 ml	**sel**	**¼ c. à t.**
150 ml	**beurre non salé**	**⅔ tasse**
250 ml	**sucre**	**1 tasse**
2	**gros œufs, battus**	**2**

- Faire chauffer le sirop d'érable et le beurre jusqu'à 140 °C (275 °F), pendant environ 15 minutes. Ajouter les amandes et poursuivre la cuisson jusqu'à ce que la température atteigne 155 °C (310 °F). Verser dans un moule et laisser durcir au réfrigérateur. Réduire en éclats au robot ménager.
- Tamiser ensemble la farine, la poudre à pâte et le sel; réserver.
- Battre en crème le beurre avec le sucre. Bien incorporer les œufs, puis les ingrédients secs, pour obtenir une pâte homogène. Couvrir et laisser reposer au réfrigérateur, 2 heures.
- Préchauffer le four à 180 °C (350 °F). Graisser une plaque à biscuits.
- Diviser la pâte en 2 et, sur un plan fariné, abaisser chaque portion à 6 mm (¼ po) d'épaisseur. Détailler la pâte avec des emporte-pièce de diverses formes, disposer sur la plaque et saupoudrer d'éclats à l'érable.
- Faire cuire au four environ 8 minutes. Déposer les biscuits sur une grille et les laisser refroidir.

BISCUITS À L'AVOINE ET À LA NOIX DE COCO

(2 douzaines)

75 ml	**graisse végétale**	**⅓ tasse**
75 ml	**sucre**	**⅓ tasse**
175 ml	**cassonade**	**¾ tasse**
1	**œuf, battu**	**1**
2 ml	**extrait de vanille**	**½ c. à t.**
250 ml	**farine d'avoine**	**1 tasse**
175 ml	**farine tout usage**	**¾ tasse**
2 ml	**poudre à pâte**	**½ c. à t.**
2 ml	**bicarbonate de soude**	**½ c. à t.**
2 ml	**sel**	**½ c. à t.**
125 ml	**noix de Grenoble hachées**	**½ tasse**
125 ml	**noix de coco râpée**	**½ tasse**

- Préchauffer le four à 180 °C (350 °F). Graisser légèrement une plaque à biscuits.
- Dans un bol, battre la graisse végétale en crème. Ajouter le sucre et la cassonade; bien mélanger. Incorporer l'œuf et l'extrait de vanille. Ajouter la farine d'avoine, la farine, la poudre à pâte, le bicarbonate de soude et le sel; bien mélanger. Incorporer les noix et la noix de coco.
- Bien travailler la pâte, puis, sur une surface légèrement farinée, l'abaisser à 2 cm (¾ po) d'épaisseur. La détailler avec un emporte-pièce de 6 cm (2½ po) de diamètre et disposer les biscuits sur la plaque.
- Faire cuire au four de 12 à 15 minutes, puis déposer les biscuits sur une grille et les laisser refroidir.

RECETTE DE L'INSTITUT DE TOURISME ET D'HÔTELLERIE DU QUÉBEC

Dans un bol, battre la graisse végétale en crème. Ajouter le sucre et la cassonade; bien mélanger.

Ajouter la farine d'avoine, la farine, la poudre à pâte, le bicarbonate de soude et le sel; bien mélanger.

Ajouter les noix de grenoble et la noix de coco.

Biscuits au beurre malté

(2 douzaines)

125 ml	**beurre**	**½ tasse**
175 ml	**sucre glace**	**¾ tasse**
1	**œuf**	**1**
5 ml	**extrait de vanille**	**1 c. à t.**
5 ml	**malt**	**1 c. à t.**
500 ml	**farine à pâtisserie**	**2 tasses**
	lait	
	sucre cristallisé	

- Dans un grand bol, battre en crème le beurre et le sucre glace. Incorporer tour à tour l'œuf, l'extrait de vanille, le malt et la farine. Laisser reposer la pâte au réfrigérateur, 1 heure.
- Préchauffer le four à 180 °C (350 °F). Graisser légèrement une plaque à biscuits.
- Sur un plan de travail fariné, abaisser la pâte à 3 mm (⅛ po) d'épaisseur. La détailler avec un emporte-pièce carré à bord dentelé, de 6 cm (2½ po) de côté.
- Disposer les carrés de pâte sur la plaque, les badigeonner de lait et les saupoudrer de sucre cristallisé. Faire cuire au four environ 8 minutes, puis déposer les biscuits sur une grille et les laisser refroidir.

Recette de l'Institut de tourisme et d'hôtellerie du Québec

Biscuits au caramel

(3 douzaines)

150 ml	**graisse végétale**	**⅔ tasse**
250 ml	**cassonade**	**1 tasse**
2	**œufs, battus**	**2**
1 ml	**extrait de vanille**	**¼ c. à t.**
625 ml	**farine tout usage**	**2½ tasses**
7 ml	**poudre à pâte**	**1½ c. à t.**
1	**pincée de sel**	**1**
50 ml	**lait**	**¼ tasse**
50 ml	**amandes émincées**	**¼ tasse**

- Préchauffer le four à 200 °C (400 °F). Graisser une plaque à biscuits.
- Dans un grand bol, battre en crème la graisse végétale. Ajouter tour à tour la cassonade, les œufs et l'extrait de vanille ; bien mélanger après chaque addition. Tamiser ensemble les ingrédients secs et les incorporer au premier appareil.
- Sur un plan de travail légèrement fariné, abaisser la pâte à 6 mm (¼ po) d'épaisseur. La détailler avec un emporte-pièce rond à bord dentelé de 7,5 cm (3 po) de diamètre. Évider le centre des biscuits avec un emporte-pièce rond plus petit.
- Disposer les anneaux de pâte sur la plaque, les badigeonner de lait et les parsemer d'amandes émincées. Faire cuire au four de 8 à 10 minutes, puis déposer les biscuits sur une grille et les laisser refroidir.

Recette de l'Institut de tourisme et d'hôtellerie du Québec

BISCUITS BRIDGE

(environ 4 douzaines)

75 ml	**graisse végétale**	**⅓ tasse**
175 ml	**sucre**	**¾ tasse**
1	**œuf**	**1**
15 ml	**jus de citron**	**1 c. à s.**
300 ml	**farine tout usage**	**1¼ tasse**
30 ml	**poudre de cacao**	**2 c. à s.**
30 ml	**farine tout usage**	**2 c. à s.**
	colorant alimentaire rouge	
	granules de chocolat et de sucre coloré rouge	

- Préchauffer le four à 190 °C (375 °F). Graisser légèrement une plaque à biscuits.
- Dans un grand bol, battre en crème la graisse végétale et le sucre. Incorporer l'œuf, le jus de citron, puis, peu à peu, la farine. Ajouter quelques gouttes de colorant alimentaire rouge pour obtenir la teinte désirée.
- Diviser la pâte en 2. Incorporer le poudre de cacao à l'une des portions et 30 ml (2 c. à s.) de farine à l'autre. Pétrir chaque portion de pâte jusqu'à ce qu'elle soit homogène et élastique. Sur un plan de travail fariné, abaisser les portions de pâte aussi finement que possible. À l'aide d'emporte-pièce, détailler la portion rose en cœurs et en carreaux, et la portion au chocolat, en piques et en trèfles.
- Disposer les biscuits sur la plaque; saupoudrer les roses de granules rouges, et les bruns de granules de chocolat ou de poudre de cacao. Les faire cuire au four de 8 à 10 minutes, jusqu'à ce qu'ils commencent tout juste à durcir. Les déposer sur une grille et les laisser refroidir. Les conserver dans un contenant hermétique.

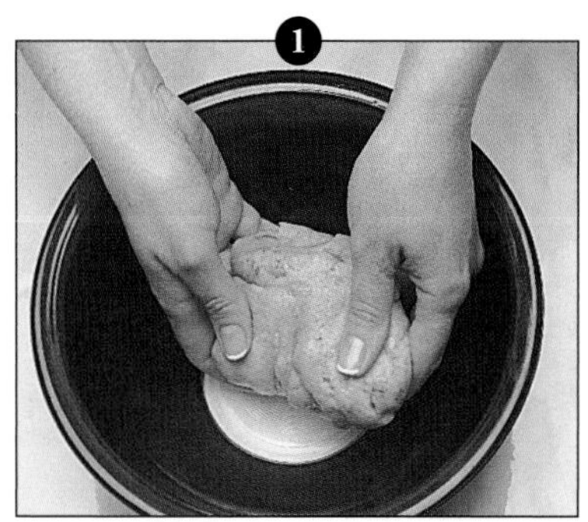

1 Ajouter quelques gouttes de colorant alimentaire rouge pour obtenir la teinte désirée.

2 Incorporer la poudre de cacao à l'une des portions et 30 ml (2 c. à s.) de farine à l'autre.

3 Saupoudrer les biscuits roses de granules rouges.

Harras Rudolf

CRAQUELINS AU SON DE BLÉ

(3 douzaines)

60 ml	**graisse végétale**	**4 c. à s.**
50 ml	**cassonade**	**¼ tasse**
50 ml	**miel**	**¼ tasse**
30 ml	**mélasse**	**2 c. à s.**
1	**œuf**	**1**
5 ml	**extrait de vanille**	**1 c. à t.**
175 ml	**farine de blé entier**	**¾ tasse**
250 ml	**farine tout usage**	**1 tasse**
50 ml	**son de blé**	**¼ tasse**

- Préchauffer le four à 180 °C (350 °F). Graisser légèrement une plaque à biscuits.
- Dans un petit bol, battre la graisse végétale, la cassonade, le miel, la mélasse, l'œuf et l'extrait de vanille jusqu'à ce que le mélange soit homogène. Tamiser ensemble les farines. Incorporer tour à tour ces ingrédients et le son de blé au premier appareil, pour obtenir une pâte ferme.
- Sur un plan de travail fariné, pétrir la pâte jusqu'à ce qu'elle soit homogène. L'abaisser à 3 mm (⅛ po) d'épaisseur, puis la détailler en carrés de 6 cm (2½ po) de côté.
- Disposer les carrés de pâte sur la plaque, à 4 cm (1½ po) d'intervalle, et les piquer légèrement avec un cure-dents ou avec les dents d'une fourchette. Faire cuire au four environ 10 minutes, jusqu'à ce que les biscuits soient dorés. Les laisser refroidir sur la plaque.

BISCUITS FAÇONNÉS

Les biscuits façonnés permettent de laisser libre cours à l'imagination. Boules, croissants, bretzels, tresses... leurs formes sont multiples. Puisque leur pâte est généralement riche en beurre ou en gras, il est conseillé de la réfrigérer avant de la manipuler, afin qu'elle soit moins collante.

Invitez les jeunes et les moins jeunes à modeler des biscuits! Non seulement, ils s'en feront une joie, mais le résultat sera certainement très amusant!

Pizzelles

(environ 3½ douzaines)

175 ml	beurre non salé, fondu	¾ tasse
175 ml	sucre	¾ tasse
4	œufs, légèrement battus	4
2 ml	extrait de vanille	½ c. à t.
500 ml	farine tout usage	2 tasses
10 ml	poudre à pâte	2 c. à t.
0,5 ml	sel	⅛ c. à t.

- Graisser un moule à pizzelle et le faire chauffer en suivant les instructions du fabricant.
- Dans un grand bol, mélanger le beurre et le sucre. Y incorporer les œufs et l'extrait de vanille.
- Mélanger la farine, la poudre à pâte et le sel. Ajouter ces ingrédients au premier appareil et bien mélanger.
- Laisser tomber 15 ml (1 c. à s.) de pâte dans le moule à pizzelle et le refermer. Laisser cuire la pizzelle environ 30 secondes ou jusqu'à ce qu'elle soit bien dorée. La retirer délicatement du moule et la laisser refroidir. Répéter l'opération avec le reste de la pâte.

Torsades au citron et à la lime

(environ 4½ douzaines)

250 ml	beurre non salé, ramolli	1 tasse
175 ml	sucre	¾ tasse
1	œuf	1
5 ml	extrait de citron	1 c. à t.
5 ml	zeste de lime râpé	1 c. à t.
625 ml	farine tout usage	2½ tasses
1 ml	sel	¼ c. à t.
30 ml	lait	2 c. à s.

GLACE AU CITRON

125 ml	sucre glace	½ tasse
10 ml	jus de citron	2 c. à t.

- Préchauffer le four à 180 °C (350 °F). Graisser et fariner une plaque à biscuits.
- Dans un grand bol, battre le beurre et le sucre jusqu'à l'obtention d'une mousse légère. Y incorporer l'œuf, l'extrait de citron et le zeste de lime. Mélanger la farine avec le sel. À l'appareil au beurre, ajouter le lait, puis les ingrédients secs, 1 tasse à la fois, en battant bien après chaque addition. Façonner la pâte en boule et la laisser reposer 5 minutes.
- Diviser la pâte en 2 et la garder au réfrigérateur jusqu'à l'utilisation. Sur un plan de travail fariné, avec les mains, rouler un peu de pâte en un cordon de 25 cm (10 po) de long. Plier le cordon en 2 et tourner les 2 languettes l'une autour de l'autre pour former une torsade. Répéter l'opération avec le reste de la pâte.
- Disposer les torsades sur la plaque, à 2,5 cm (1 po) d'intervalle. Les faire cuire au four de 10 à 12 minutes, jusqu'à ce qu'elles soient dorées, puis les déposer sur une grille et les laisser refroidir.
- Entre-temps, préparer la glace en mélangeant le sucre glace avec le jus de citron. En badigeonner les torsades encore chaudes, puis les laisser refroidir.

MOULINETS À LA FRAMBOISE ET AUX NOIX DE GRENOBLE

(environ 2 douzaines)

175 ml	**cassonade**	**¾ tasse**
125 ml	**beurre non salé, ramolli**	**½ tasse**
125 ml	**graisse végétale**	**½ tasse**
2 ml	**extrait de vanille**	**½ c. à t.**
1	**œuf**	**1**
500 ml	**farine tout usage**	**2 tasses**
5 ml	**poudre à pâte**	**1 c. à t.**
0,5 ml	**sel**	**⅛ c. à t.**
50 ml	**cassonade**	**¼ tasse**
50 ml	**noix de Grenoble hachées finement**	**¼ tasse**
15 ml	**beurre non salé**	**1 c. à s.**
	confiture de framboises	

- Dans un grand bol, mélanger 175 ml (¾ tasse) de cassonade, le beurre, la graisse végétale, l'extrait de vanille et l'œuf. Incorporer la farine, la poudre à pâte et le sel. Couvrir la pâte et la laisser reposer au réfrigérateur environ 1 heure, jusqu'à ce qu'elle soit ferme.
- Entre-temps, mélanger 50 ml (¼ tasse) de cassonade, les noix et le beurre. Réserver.
- Préchauffer le four à 190 °C (375 °F). Diviser la pâte en 2 et, sur un plan de travail fariné, abaisser chacune des portions en un rectangle de 3 mm (⅛ po) d'épaisseur.
- Détailler la pâte en carrés de 7,5 cm (3 po) de côté. Les disposer sur une plaque à biscuits non graissée, à 5 cm (2 po) d'intervalle. Fendre les carrés en diagonale, de chaque coin presque jusqu'au centre. Déposer 15 ml (1 c. à s.) de confiture de framboises au centre de la moitié des carrés. Répéter l'opération avec le reste de la pâte et la garniture aux noix. Replier 4 des pointes vers le centre, de manière à former un moulinet.
- Faire cuire au four de 6 à 8 minutes. Déposer sur une grille et laisser refroidir.

Détailler la pâte en carrés de 7,5 cm (3 po) de côté.

Fendre les carrés en diagonale, de chaque coin presque jusqu'au centre.

Déposer 15 ml (1 c. à s.) de confiture de framboises au centre de chaque carré. Replier 4 des pointes vers le centre, de manière à former un moulinet.

BISCUITS AU BEURRE D'ARACHIDE

(2½ douzaines)

125 ml	**beurre non salé**	**½ tasse**
125 ml	**cassonade**	**½ tasse**
125 ml	**sucre**	**½ tasse**
125 ml	**beurre d'arachide**	**½ tasse**
1	**petit œuf**	**1**
250 ml	**farine tout usage**	**1 tasse**
1 ml	**sel**	**¼ c. à t.**
1 ml	**bicarbonate de soude**	**¼ c. à t.**
1	**pincée de muscade râpée**	**1**

- Préchauffer le four à 180 °C (350 °F). Graisser légèrement une plaque à biscuits.
- Dans un grand bol, battre le beurre en crème. Y incorporer tour à tour la cassonade, le sucre, le beurre d'arachide et l'œuf. Dans un autre bol, mélanger le reste des ingrédients secs. Bien les incorporer au premier mélange.
- Avec les mains légèrement farinées, façonner la pâte en petites boules de 2,5 cm (1 po) de diamètre, les disposer sur la plaque et les aplatir légèrement avec une fourchette. Faire cuire au four de 10 à 15 minutes, jusqu'à ce que les bords commencent à dorer.
- Déposer les biscuits sur une grille et les laisser refroidir.

Spirales au chocolat et à la menthe

(environ 3 douzaines)

1	**carré de chocolat non sucré**	1
125 ml	**beurre non salé**	½ tasse
125 ml	**graisse végétale**	½ tasse
250 ml	**sucre**	1 tasse
1	**œuf**	1
5 ml	**extrait de menthe**	1 c. à t.
500 ml	**farine tout usage**	2 tasses
1	**blanc d'œuf, légèrement battu**	1
	colorant alimentaire vert	

- Faire fondre le chocolat au bain-marie et réserver.
- Dans un grand bol, battre en crème le beurre, la graisse végétale et le sucre. Ajouter l'œuf et l'extrait de menthe; bien mélanger. Incorporer peu à peu la farine.
- Diviser la pâte en 2 et incorporer quelques gouttes de colorant alimentaire vert à l'une des portions. À l'autre, ajouter le chocolat fondu et bien mélanger. Envelopper chacune des deux portions dans une feuille de papier ciré et laisser reposer au réfrigérateur 1 heure, jusqu'à ce que la pâte soit suffisamment ferme pour être abaissée.
- Sur un plan de travail fariné, abaisser chaque portion de pâte en un rectangle de 25 cm sur 30 cm (10 po sur 12 po) et de 6 mm (¼ po) d'épaisseur.
- Badigeonner le dessus d'un des rectangles de blanc d'œuf puis, à l'aide du papier ciré, déposer l'autre rectangle dessus; retirer la feuille de papier et appuyer délicatement. Couper les bords pour les égaliser et badigeonner le dessus de blanc d'œuf.
- Rouler le rectangle sur son côté le plus long. Envelopper le rouleau dans du papier ciré et le laisser reposer au réfrigérateur environ 3 heures, jusqu'à ce qu'il soit ferme.
- Préchauffer le four à 190 °C (375 °F). Graisser légèrement une plaque à biscuits.
- Couper les deux extrémités du rouleau pour les égaliser, puis détailler le rouleau en tranches de 6 mm (¼ po) d'épaisseur. Les disposer sur la plaque et faire cuire au four de 10 à 12 minutes, jusqu'à ce que les biscuits commencent à devenir fermes. Les sortir du four, les déposer sur une grille et les laisser refroidir.

PETITS FOURS

(3 douzaines)

125 ml	**beurre non salé**	**½ tasse**
125 ml	**graisse végétale**	**½ tasse**
175 ml	**sucre**	**¾ tasse**
125 ml	**pâte d'amandes**	**½ tasse**
3	**œufs moyens**	**3**
625 ml	**farine tout usage**	**2½ tasses**
5 ml	**essence aromatique, au choix**	**1 c. à t.**
175 ml	**cerises confites, en quartiers**	**¾ tasse**

- Préchauffer le four à 180 °C (350 °F). Graisser et fariner une plaque à biscuits.
- Battre en crème le beurre, la graisse végétale et le sucre. Incorporer tour à tour la pâte d'amandes, les œufs, un à un, la farine, puis l'essence aromatique.
- Avec une poche à douille cannelée nº 6, dresser la pâte sur la plaque à biscuits, puis garnir chaque biscuit d'un quartier de cerise. Les faire cuire au four environ 10 minutes, jusqu'à ce qu'ils brunissent légèrement, puis les déposer sur une grille et les laisser refroidir.

RECETTE DE L'INSTITUT DE TOURISME ET D'HÔTELLERIE DU QUÉBEC

BISCUITS AUX PISTACHES ET AUX CANNEBERGES

(environ 4 douzaines)

250 ml	**beurre non salé, ramolli**	**1 tasse**
250 ml	**sucre**	**1 tasse**
1	**gros œuf, battu**	**1**
500 ml	**farine tout usage**	**2 tasses**
5 ml	**bicarbonate de soude**	**1 c. à t.**
5 ml	**crème de tartre**	**1 c. à t.**
125 ml	**pistaches hachées**	**½ tasse**
125 ml	**canneberges séchées**	**½ tasse**

- Préchauffer le four à 190 °C (375 °F). Graisser et fariner légèrement une plaque à biscuits.
- Dans un grand bol, battre en crème le beurre et le sucre. Incorporer l'œuf.
- Tamiser ensemble la farine, le bicarbonate de soude et la crème de tartre. Les incorporer au premier mélange. Ajouter les pistaches et les canneberges; bien mélanger.
- Façonner la pâte en petites boules, les disposer sur la plaque à biscuits et les aplatir avec une fourchette préalablement plongée dans du sucre.
- Faire cuire les biscuits au four 12 à 15 minutes, selon leur taille, puis les déposer sur une grille et les laisser refroidir.

MACARONS

(3 douzaines)

500 ml	**amandes blanchies**	**2 tasses**
300 ml	**sucre**	**1¼ tasse**
15 ml	**zeste de lime râpé**	**1 c. à s.**
2	**blancs d'œufs, battus à la fourchette**	**2**
	sucre glace	

- Préchauffer le four à 190 °C (375 °F). Graisser et fariner une plaque à biscuits.
- Au robot ménager, réduire les amandes en poudre fine. Y incorporer le reste des ingrédients, sauf le sucre glace.
- Façonner la pâte en petites boules de 4 cm (1½ po) de diamètre, les déposer sur la plaque à biscuits, à 5 cm (2 po) d'intervalle. Les aplatir légèrement avec la paume de la main. Laisser reposer 10 minutes.
- Faire cuire au four 20 minutes. Sortir les biscuits du four et, tandis qu'ils sont encore chauds, les assembler deux par deux, dos à dos. Les déposer sur une grille, les laisser refroidir, puis les saupoudrer de sucre glace.

Au robot ménager, réduire les amandes en poudre fine. Y incorporer le reste des ingrédients, sauf le sucre glace.

Façonner la pâte en petites boules de 4 cm (1½ po) de diamètre et les disposer sur la plaque à biscuits.

Les aplatir légèrement avec la paume de la main.

Tandis qu'ils sont encore chauds, assembler les biscuits deux par deux.

BISCUITS À L'AVOINE ET AUX RAISINS SECS

(2 douzaines)

75 ml	**margarine**	**⅓ tasse**
125 ml	**sucre**	**½ tasse**
2	**œufs**	**2**
300 ml	**farine tout usage**	**1¼ tasse**
300 ml	**flocons d'avoine**	**1¼ tasse**
250 ml	**raisins secs**	**1 tasse**
175 ml	**noix de coco râpée**	**¾ tasse**
5 ml	**poudre à pâte**	**1 c. à t.**
5 ml	**bicarbonate de soude**	**1 c. à t.**
5 ml	**cannelle moulue**	**1 c. à t.**
2 ml	**sel**	**½ c. à t.**
60 ml	**lait**	**4 c. à s.**

- Préchauffer le four à 180 °C (350 °F). Graisser une plaque à biscuits.
- Dans un grand bol, battre la margarine avec le sucre et les œufs. Mélanger tous les ingrédients, sauf le lait. Les ajouter au premier appareil, en alternant avec le lait.
- Façonner la pâte en petites boules, puis les disposer sur la plaque à biscuits. Faire cuire au four environ 12 minutes, puis déposer les biscuits sur une grille et les laisser refroidir.

RECETTE DE L'INSTITUT DE TOURISME ET D'HÔTELLERIE DU QUÉBEC

Biscuits au rhum et aux amandes

(2½ douzaines)

250 ml	**beurre non salé, ramolli**	**1 tasse**
150 ml	**sucre glace, tamisé**	**⅔ tasse**
5 ml	**extrait de vanille**	**1 c. à t.**
2 ml	**arôme artificiel de rhum**	**½ c. à t.**
250 ml	**amandes hachées**	**1 tasse**
625 ml	**farine tout usage tamisée**	**2½ tasses**
1	**pincée de sel**	**1**

- Préchauffer le four à 180 °C (350 °F).
- Dans un grand bol, battre en crème le beurre, le sucre glace, l'extrait de vanille et l'arôme de rhum. Incorporer les amandes, la farine et le sel. Pétrir la pâte.
- Diviser la pâte en 2, façonner chaque portion en un rouleau de 2,5 cm (1 po) de diamètre, puis les détailler en rondelles de 2,5 cm (1 po) d'épaisseur. Déposer les rondelles sur une plaque à biscuits non graissée; façonner chacune en forme de croissant.
- Faire cuire au four environ 18 minutes, puis déposer les biscuits sur une grille et les laisser refroidir. Les saupoudrer de sucre glace avant de servir.

ROGOLASH

(32 biscuits)

125 ml	**beurre non salé**	**½ tasse**
125 g	**fromage à la crème**	**4 oz**
175 ml	**sucre**	**¾ tasse**
1	**jaune d'œuf**	**1**
550 ml	**farine tout usage**	**2¼ tasses**
2 ml	**poudre à pâte**	**½ c. à t.**
1	**blanc d'œuf, légèrement battu**	**1**
	gelée d'abricots	
	amandes hachées finement	

- Dans un bol, battre en crème le beurre, le fromage et le sucre. Ajouter le jaune d'œuf et mélanger.
- Tamiser ensemble la farine et la poudre à pâte. Incorporer ces ingrédients au premier appareil. Laisser reposer la pâte toute la nuit au réfrigérateur.
- Préchauffer le four à 190 °C (375 °F). Graisser légèrement une plaque à biscuits.
- Diviser la pâte en 4 et la garder au réfrigérateur en attendant de la travailler. Sur un plan de travail fariné, abaisser chaque portion de pâte en 1 rond de 3 mm (⅛ po) d'épaisseur et de 20 cm (8 po) de diamètre.
- Napper chaque rond de gelée. Les détailler en 8 triangles et les rouler en commençant par la base, de manière à former des croissants.
- Disposer les croissants sur la plaque, la pointe en dessous. Les badigeonner de blanc d'œuf, puis les parsemer d'amandes.
- Faire cuire les croissants au four de 12 à 15 minutes, jusqu'à ce qu'ils soient dorés, puis les déposer sur une grille et les laisser refroidir.

Clins d'œil aux cerises

(2 douzaines)

250 ml	**farine tout usage**	**1 tasse**
2 ml	**poudre à pâte**	**½ c. à t.**
2 ml	**bicarbonate de soude**	**½ c. à t.**
1 ml	**sel**	**¼ c. à t.**
125 ml	**graisse végétale**	**½ tasse**
125 ml	**sucre**	**½ tasse**
1	**œuf, battu**	**1**
30 ml	**lait**	**2 c. à s.**
2 ml	**extrait de vanille**	**½ c. à t.**
125 ml	**dattes hachées**	**½ tasse**
125 ml	**cerises au marasquin, en quartiers**	**½ tasse**
325 ml	**flocons de maïs, émiettés**	**1⅓ tasse**
45 ml	**cerises au marasquin en quartiers, pour garnir**	**3 c. à s.**

- Préchauffer le four à 190 °C (375 °F). Graisser légèrement une plaque à biscuits.
- Dans un grand bol, tamiser ensemble les ingrédients secs. Dans un autre bol, battre en crème la graisse végétale et le sucre. Ajouter l'œuf, le lait et l'extrait de vanille; bien mélanger. Incorporer cet appareil aux ingrédients secs, puis incorporer les dattes et 125 ml (½ tasse) de cerises.
- Façonner la pâte en petites boules, les enrober de flocons de maïs, puis les disposer sur la plaque à 4 cm (1½ po) d'intervalle. Garnir chacune d'un quartier de cerise.
- Faire cuire les biscuits au four de 10 à 12 minutes. Les laisser refroidir avant de les servir.

Recette de l'Institut de tourisme et d'hôtellerie du Québec

Croquants au citron et à la lime

(3 douzaines)

250 ml	**graisse végétale**	**1 tasse**
125 ml	**sucre**	**½ tasse**
125 ml	**cassonade**	**½ tasse**
1	**gros œuf**	**1**
1 ml	**extrait de vanille**	**¼ c. à t.**
10 ml	**jus de lime**	**2 c. à t.**
15 ml	**zeste de citron râpé**	**1 c. à s.**
5 ml	**zeste de lime râpé**	**1 c. à t.**
625 ml	**farine tout usage**	**2½ tasses**
2 ml	**bicarbonate de soude**	**½ c. à t.**
2 ml	**sel**	**½ c. à t.**
	sucre cristallisé	

- Dans un grand bol, battre en crème la graisse végétale, le sucre et la cassonade. Ajouter l'œuf, l'extrait de vanille, le jus de lime et les zestes de citron et de lime ; bien mélanger.
- Tamiser ensemble la farine, le bicarbonate de soude et le sel. Incorporer ces ingrédients secs au premier appareil. Laisser reposer la pâte au réfrigérateur, 3 heures.
- Préchauffer le four à 190 °C (375 °F).
- Façonner la pâte en triangles ; les disposer sur une plaque non graissée. Les saupoudrer de sucre cristallisé. Faire cuire les biscuits au four de 10 à 12 minutes, puis les déposer sur une grille et les laisser refroidir.

SPIRALES À L'ÉRABLE ET AUX NOIX DE GRENOBLE

(4 douzaines)

175 ml	**beurre non salé**	**¾ tasse**
175 ml	**sucre**	**¾ tasse**
1	**œuf**	**1**
2 ml	**arôme artificiel d'érable**	**½ c. à t.**
300 ml	**farine tout usage**	**1¼ tasse**
250 ml	**farine de blé entier**	**1 tasse**
125 ml	**beurre de pommes**	**½ tasse**
125 ml	**noix de Grenoble hachées finement**	**½ tasse**

- Dans un grand bol, battre le beurre et le sucre jusqu'à l'obtention d'une crème mousseuse. Y incorporer tour à tour l'œuf, l'arôme d'érable et les farines, en travaillant avec les mains, au besoin. Pétrir la pâte jusqu'à ce qu'elle soit homogène et élastique.
- Sur un plan de travail fariné, abaisser la pâte en un rectangle de 20 cm sur 30 cm (8 po sur 12 po). Tartiner de beurre de pommes jusqu'à 1 cm (½ po) des bords et parsemer de noix. Rouler le rectangle sur son côté le plus long, l'envelopper dans une pellicule de plastique et le laisser reposer au congélateur 30 minutes.
- Préchauffer le four à 190 °C (375 °F). Graisser et fariner une plaque à biscuits.
- Détailler la pâte en tranches de 6 mm (¼ po) d'épaisseur et les disposer à plat sur la plaque. Faire cuire au four de 12 à 15 minutes, jusqu'à ce que les biscuits soient dorés. Les déposer sur une grille et les laisser refroidir.

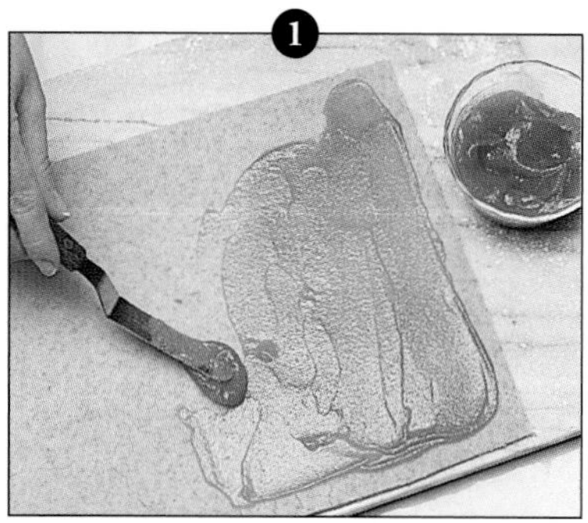

Tartiner l'abaisse de pâte de beurre de pommes, jusqu'à 1 cm (½ po) des bords.

Parsemer de noix.

Rouler le rectangle sur son côté le plus long.

Biscuits moulés à la presse

(environ 8 douzaines)

175 ml	**beurre non salé**	**¾ tasse**
250 ml	**sucre**	**1 tasse**
1	**œuf**	**1**
5 ml	**extrait de vanille**	**1 c. à t.**
425 ml	**farine tout usage**	**1¾ tasse**

Glace au citron

250 ml	**sucre glace**	**1 tasse**
30 à 45 ml	**jus de citron fraîchement pressé**	**2 à 3 c. à s.**

- Dans un grand bol, battre le beurre et le sucre jusqu'à l'obtention d'une crème légère et mousseuse. Y incorporer tour à tour l'œuf, l'extrait de vanille puis, peu à peu, la farine. Laisser reposer la pâte 30 minutes au réfrigérateur.
- Mélanger les ingrédients de la glace; réserver.
- Préchauffer le four à 190 °C (375 °F).
- Remplir de pâte une presse à biscuits, puis, en choisissant diverses grilles décoratives, dresser les biscuits sur une plaque non graissée.
- Faire cuire au four de 8 à 10 minutes jusqu'à ce que les biscuits brunissent légèrement. Les sortir du four et, avec un pinceau, les badigeonner de glace. Déposer sur une grille et laisser refroidir.

Biscuits au fromage à la crème et aux noisettes

(2 douzaines)

125 ml	**graisse végétale**	**½ tasse**
125 ml	**fromage à la crème, ramolli**	**½ tasse**
125 ml	**sucre**	**½ tasse**
250 ml	**farine**	**1 tasse**
10 ml	**poudre à pâte**	**2 c. à t.**
1	**pincée de sel**	**1**
250 ml	**noisettes broyées**	**1 tasse**

- Dans un bol, bien mélanger la graisse végétale avec le fromage ramolli et le sucre. Mélanger la farine, la poudre à pâte et le sel. Ajouter ces ingrédients secs au premier appareil, puis 125 ml (½ tasse) de noisettes broyées.
- Laisser reposer la pâte au réfrigérateur de 1 h 30 min à 2 h.
- Préchauffer le four à 180 °C (350 °F). Graisser et fariner une plaque à biscuits.
- Façonner la pâte en petites boules de 2,5 cm (1 po) de diamètre, les rouler dans le reste des noisettes broyées et les disposer sur la plaque à biscuits. Faire cuire au four 12 minutes, puis déposer les biscuits sur une grille et les laisser refroidir.

Recette de l'Institut de tourisme et d'hôtellerie du Québec

NŒUDS PAPILLONS

(environ 3 douzaines)

2	**œufs**	**2**
250 ml	**sucre glace**	**1 tasse**
30 ml	**beurre non salé, fondu**	**2 c. à s.**
5 ml	**zeste de citron râpé**	**1 c. à t.**
425 ml	**farine tout usage**	**1¾ tasse**
5 ml	**poudre à pâte**	**1 c. à t.**
	huile végétale, pour la friture	
	sucre glace	

- Dans un grand bol, battre les œufs et le sucre glace environ 5 minutes, pour obtenir un appareil léger et mousseux. Y incorporer le beurre et le zeste de citron.
- Tamiser ensemble la farine et la poudre à pâte. Ajouter peu à peu ces ingrédients au premier appareil et bien mélanger après chaque addition.
- Sur un plan de travail fariné, pétrir la pâte jusqu'à ce qu'elle soit homogène. L'envelopper dans du papier ciré et la laisser reposer 30 minutes, au réfrigérateur.
- Dans une casserole à fond épais ou dans une friteuse, verser de l'huile végétale jusqu'à 10 cm (4 po) de hauteur, et la faire chauffer à 190 °C (375 °F). Diviser la pâte en 2 et garder les portions au réfrigérateur jusqu'à l'utilisation.
- Sur un plan de travail fariné, abaisser une portion de pâte à 3 mm (⅛ po) d'épaisseur. La détailler en rectangles de 4 cm sur 7,5 cm (1½ po sur 3 po). Pincer le centre de chacun des rectangles pour former des nœuds papillons. Les plonger dans l'huile bouillante et les faire frire jusqu'à ce qu'ils soient dorés; les retourner une fois pendant la cuisson.
- Les retirer avec une écumoire et les déposer sur plusieurs couches de papier absorbant; les laisser refroidir. Conserver dans un contenant hermétique. Avant de servir, saupoudrer de sucre glace.

TUILES AUX AMANDES

(environ 25 tuiles)

250 ml	**amandes hachées**	**1 tasse**
75 ml	**sucre**	**⅓ tasse**
7 ml	**beurre non salé, fondu**	**1½ c. à t.**
7 ml	**farine tout usage**	**1½ c. à t.**
2	**blancs d'œufs**	**2**

- Dans un bol, avec une spatule, mélanger délicatement les amandes, le sucre, le beurre et la farine. Incorporer les blancs d'œufs. Laisser reposer la pâte 1 h 30 min, au réfrigérateur.
- Préchauffer le four à 180 °C (350 °F).
- Dresser la pâte à la cuillère sur une plaque non graissée; l'étaler avec une spatule. Faire cuire au four de 6 à 7 minutes. Avec une spatule, détacher les tuiles de la plaque et les rouler aussitôt autour du manche d'une cuiller en bois pour leur donner une forme de cigarette. Les laisser refroidir.

RECETTE DE L'INSTITUT DE TOURISME ET D'HÔTELLERIE DU QUÉBEC

SABLÉS FONDANTS AUX PACANES

(environ 3 douzaines)

250 ml	**beurre non salé, ramolli**	**1 tasse**
75 ml	**sucre glace**	**⅓ tasse**
10 ml	**extrait de vanille**	**2 c. à t.**
500 ml	**farine tout usage**	**2 tasses**
1 ml	**sel**	**¼ c. à t.**
175 ml	**pacanes finement hachées**	**¾ tasse**
	sucre super fin	

- Préchauffer le four à 160 °C (325 °F).
- Dans un grand bol, battre le beurre en crème. Y incorporer le sucre glace et l'extrait de vanille. Tamiser ensemble la farine et le sel au-dessus de ce mélange; bien mélanger avec une cuillère en bois. Incorporer les pacanes.
- Façonner la pâte en forme de dattes, enrober de sucre super fin et disposer sur une plaque à biscuits non graissée.
- Faire cuire les sablés au four de 25 à 35 minutes. Si désiré, les faire dorer sous le gril pendant 2 minutes, puis les déposer sur une grille et les laisser refroidir.

Dans un grand bol, battre le beurre en crème. Y incorporer le sucre glace.

Incorporer les pacanes.

Façonner la pâte en forme de dattes.

Les enrober de sucre super fin et les disposer sur une plaque à biscuits non graissée.

LANGUES DE CHAT

(3 douzaines)

125 ml	**beurre non salé, ramolli**	**½ tasse**
150 ml	**sucre**	**⅔ tasse**
2	**œufs, battus**	**2**
10 ml	**extrait d'amandes**	**2 c. à t.**
150 ml	**farine tout usage**	**⅔ tasse**

- Préchauffer le four à 180 °C (350 °F).
- Dans un grand bol, battre le beurre et le sucre jusqu'à l'obtention d'une crème légère et mousseuse. Y incorporer peu à peu les œufs et l'extrait d'amandes. Tamiser la farine au-dessus du bol et mélanger délicatement pour obtenir une pâte homogène.
- Remplir une poche à douille lisse de 1 cm (½ po) de diamètre. Sur une plaque à biscuits à revêtement antiadhésif, déposer des languettes de pâte de 7,5 cm (3 po) de long, bien espacées les unes des autres.
- Faire cuire au four de 6 à 8 minutes, jusqu'à ce que les langues de chat soient bien dorées. Avec une spatule, les déposer sur une grille et les laisser refroidir.

Biscuits au chocolat

Le chocolat, comme chacun le sait, n'a pas son pareil pour chatouiller le palais. Les inconditionnels du chocolat, et les autres, ne pourront résister aux délicieuses recettes contenues dans ce chapitre où le chocolat, sous toutes ses formes, est à l'honneur.

Les méthodes de préparation claires et précises, si elles sont bien suivies, assureront à tout coup des résultats qui vous vaudront les éloges de tous.

BISCUITS AU BEURRE D'ARACHIDE GLACÉS AU CHOCOLAT

(environ 4 douzaines)

125 ml	**beurre non salé**	**½ tasse**
125 ml	**beurre d'arachide crémeux**	**½ tasse**
125 ml	**cassonade**	**½ tasse**
125 ml	**sucre**	**½ tasse**
1	**jaune d'œuf**	**1**
5 ml	**extrait de vanille**	**1 c. à t.**
125 ml	**farine de blé entier**	**½ tasse**
125 ml	**farine tout usage**	**½ tasse**
125 ml	**flocons de maïs écrasés**	**½ tasse**
30 ml	**poudre de cacao**	**2 c. à s.**
2 ml	**bicarbonate de soude**	**½ c. à t.**

GLAÇAGE

50 ml	**pépites de chocolat mi-sucré**	**¼ tasse**
250 ml	**sucre glace**	**1 tasse**
45 ml	**café**	**3 c. à s.**

- Préchauffer le four à 180 °C (350 °F). Graisser légèrement une plaque à biscuits.
- Dans un grand bol, battre le beurre, le beurre d'arachide, la cassonade et le sucre jusqu'à l'obtention d'une crème légère et mousseuse. Y incorporer le jaune d'œuf et l'extrait de vanille.
- Mélanger le reste des ingrédients secs et les incorporer au premier appareil. Sur un plan de travail fariné, pétrir délicatement la pâte jusqu'à ce qu'elle soit homogène.
- Façonner la pâte en petites boules de 2,5 cm (1 po) de diamètre. Les disposer sur la plaque, les aplatir légèrement et les faire cuire au four de 12 à 14 minutes, jusqu'à ce qu'elles soient fermes.
- Les déposer sur une grille et les laisser refroidir avant de les glacer.
- Pour préparer le glaçage, au bain-marie, faire fondre les pépites de chocolat et réserver. Dans un bol, mélanger le sucre glace avec le café et remuer jusqu'à ce que le sucre soit dissous. Incorporer le chocolat fondu. Garder le glaçage mou en posant le contenant au-dessus d'un bol d'eau chaude.
- Napper généreusement les biscuits de glaçage.

BISCUITS FANTAISIE À L'ORANGE

(3 douzaines)

50 ml	**graisse végétale**	**¼ tasse**
125 ml	**sucre**	**½ tasse**
1	**œuf**	**1**
30 ml	**zeste d'orange**	**2 c. à s.**
15 ml	**jus d'orange**	**1 c. à s.**
250 ml	**farine tout usage**	**1 tasse**
1 ml	**sel**	**¼ c. à t.**
10 ml	**poudre à pâte**	**2 c. à t.**
3	**carrés de chocolat à cuire sucré**	**3**
50 ml	**noix hachées**	**¼ tasse**

- Dans un grand bol, battre en crème la graisse végétale et le sucre. Incorporer l'œuf, puis le zeste et le jus d'orange. Tamiser ensemble la farine, le sel et la poudre à pâte; incorporer ces ingrédients secs aux ingrédients humides.
- Laisser reposer la pâte au réfrigérateur 2 à 3 heures.
- Préchauffer le four à 190 °C (375 °F). Graisser légèrement une plaque à biscuits.
- Abaisser la pâte sur 6 mm (¼ po) d'épaisseur. Avec un emporte-pièce de 6 cm (2⅓ po) de diamètre, la détailler en croissants. Les disposer sur la plaque et les faire cuire au four environ 10 minutes. Déposer les biscuits sur une grille et les laisser refroidir.
- Entre-temps, faire fondre le chocolat au bain-marie pour qu'il soit juste tiède.
- Tremper une extrémité des biscuits dans le chocolat, puis la parsemer de noix. Laisser durcir le chocolat.

RECETTE DE L'INSTITUT DE TOURISME ET D'HÔTELLERIE DU QUÉBEC

BISCUITS AU BEURRE D'ARACHIDE, AU CHOCOLAT ET AUX RAISINS SECS

(3 douzaines)

125 ml	**beurre non salé, à la température ambiante**	**½ tasse**
125 ml	**beurre d'arachide**	**½ tasse**
250 ml	**cassonade pâle**	**1 tasse**
1	**œuf, légèrement battu**	**1**
2 ml	**extrait de vanille**	**½ c. à t.**
175 ml	**farine tout usage**	**¾ tasse**
5 ml	**poudre à pâte**	**1 c. à t.**
150 ml	**arachides grillées**	**⅔ tasse**
250 ml	**pépites de chocolat**	**1 tasse**
250 ml	**raisins de Smyrne**	**1 tasse**

- Préchauffer le four à 190 °C (375 °F). Graisser et fariner une plaque à biscuits.
- Dans un bol en acier inoxydable ou en verre, battre en une crème homogène le beurre et le beurre d'arachide. Ajouter la cassonade peu à peu et mélanger pour obtenir un appareil homogène. Y incorporer l'œuf et l'extrait de vanille.
- Tamiser ensemble la farine et la poudre à pâte; les incorporer au premier mélange. Ajouter les arachides, les pépites de chocolat et les raisins secs; bien mélanger. Laisser reposer pendant quelques minutes.
- Sur la plaque, déposer la pâte à la cuillère, à 5 cm (2 po) d'intervalle. Faire cuire au four environ 12 minutes. Laisser refroidir les biscuits avant de les manipuler.

RECETTE DE L'INSTITUT DE TOURISME ET D'HÔTELLERIE DU QUÉBEC

Battre en une crème homogène le beurre et le beurre d'arachide.

Incorporer la farine et la poudre à pâte tamisées.

Ajouter les arachides, les pépites de chocolat et les raisins secs; bien mélanger.

Biscuits à l'avoine et aux pépites de chocolat

(4 douzaines)

325 ml	**beurre non salé, ramolli**	**1⅓ tasse**
325 ml	**sucre**	**1⅓ tasse**
175 ml	**cassonade**	**¾ tasse**
2	**œufs**	**2**
5 ml	**extrait de vanille**	**1 c. à t.**
500 ml	**farine tout usage**	**2 tasses**
5 ml	**bicarbonate de soude**	**1 c. à t.**
1	**pincée de sel**	**1**
500 ml	**flocons d'avoine**	**2 tasses**
375 ml	**pépites de chocolat mi-sucré**	**1½ tasse**
125 ml	**noix de Grenoble hachées**	**½ tasse**

- Préchauffer le four à 190 °C (375 °F). Graisser légèrement une plaque à biscuits.
- Dans un grand bol, battre le beurre, le sucre et la cassonade jusqu'à l'obtention d'un mélange mousseux. Y incorporer les œufs et l'extrait de vanille.
- Tamiser ensemble la farine, le bicarbonate de soude et le sel. Incorporer ces ingrédients au premier mélange. Ajouter les flocons d'avoine, les pépites de chocolat, puis les noix; bien mélanger après chaque addition.
- Déposer la pâte à la cuillère sur la plaque. Faire cuire au four environ 10 minutes, puis déposer les biscuits sur une grille et les laisser refroidir.

BISCUITS AUX NOIX ET AU CHOCOLAT

(4 douzaines)

125 ml	**graisse végétale**	**½ tasse**
400 ml	**sucre**	**1⅔ tasse**
2	**œufs, battus**	**2**
5 ml	**extrait de vanille**	**1 c. à t.**
2	**carrés de chocolat à cuire mi-sucré, fondus**	**2**
500 ml	**farine tout usage**	**2 tasses**
1 ml	**sel**	**¼ c. à t.**
2 ml	**bicarbonate de soude**	**½ c. à t.**
5 ml	**poudre à pâte**	**1 c. à t.**
75 ml	**crème 35 %**	**⅓ tasse**
150 ml	**noix de Grenoble hachées**	**⅔ tasse**
	sucre glace	

- Dans un grand bol, battre en crème la graisse végétale et le sucre. Incorporer les œufs, l'extrait de vanille et le chocolat fondu.
- Tamiser ensemble la farine, le sel, le bicarbonate de soude et la poudre à pâte. Ajouter la moitié des ingrédients secs aux ingrédients humides et bien mélanger. Incorporer la moitié de la crème. Répéter l'opération avec le reste des ingrédients secs et de la crème. Si la pâte est trop épaisse, ajouter un peu de crème. Incorporer les noix et réfrigérer 1 heure.
- Préchauffer le four à 180 °C (350 °F). Graisser et fariner une plaque à biscuits.
- Façonner la pâte en petites boules, les enrober de sucre glace et les disposer sur la plaque à biscuits. Faire cuire au four environ 12 minutes, selon leur taille, puis les déposer sur une grille et les laisser refroidir.

PETITS CROISSANTS AU CHOCOLAT ET AUX NOISETTES

(32 croissants)

175 ml	**beurre non salé**	**¾ tasse**
175 ml	**sucre**	**¾ tasse**
1	**œuf**	**1**
2 ml	**arôme artificiel d'érable**	**½ c. à t.**
300 ml	**farine tout usage**	**1¼ tasse**
175 ml	**farine de blé entier**	**¾ tasse**
125 ml	**tartinade aux noisettes et au chocolat**	**½ tasse**
125 ml	**noisettes hachées finement**	**½ tasse**

- Préchauffer le four à 190 °C (375 °F). Graisser et fariner une plaque à biscuits.
- Dans un grand bol, battre le beurre et le sucre jusqu'à l'obtention d'une crème mousseuse. Y incorporer l'œuf et l'arôme d'érable.
- Ajouter les farines et mélanger; au besoin, travailler avec les mains.
- Au-dessus d'une casserole d'eau chaude ou au four micro-ondes, faire ramollir la tartinade aux noisettes et au chocolat.
- Diviser la pâte en 4 portions; les garder au réfrigérateur jusqu'au moment de les utiliser.
- Abaisser une portion de pâte en un rond de 20 cm (8 po) de diamètre. Le napper de tartinade aux noisettes et au chocolat; parsemer de 30 ml (2 c. à s.) de noisettes hachées. Diviser en 8 pointes et rouler chacune sur elle même, en commençant par le côté le plus large de manière à obtenir un croissant. Répéter l'opération avec le reste de la pâte, de la tartinade et des noisettes.
- Faire cuire les croissants au four de 12 à 15 minutes, jusqu'à ce qu'ils soient dorés. Les déposer sur une grille et les laisser refroidir.

SANDWICHES CHOCOLATÉS

(environ 2½ douzaines)

75 ml	**graisse végétale**	**⅓ tasse**
175 ml	**sucre**	**¾ tasse**
1	**œuf**	**1**
15 ml	**concentré de jus d'orange**	**1 c. à s.**
300 ml	**farine tout usage**	**1¼ tasse**
75 ml	**poudre de cacao**	**⅓ tasse**
250 ml	**sucre glace**	**1 tasse**
15 ml	**graisse végétale**	**1 c. à s.**
10 à 15 ml	**lait**	**2 à 3 c. à t.**

- Préchauffer le four à 190 °C (375 °F).
- Dans un grand bol, battre en crème la graisse végétale et le sucre. Incorporer l'œuf et le concentré de jus d'orange. Mélanger la farine avec la poudre de cacao; ajouter peu à peu ces ingrédients au premier appareil. Pétrir la pâte jusqu'à ce qu'elle soit homogène.
- Sur un plan de travail fariné, abaisser la moitié de la pâte aussi finement que possible. La détailler en ronds de 5 cm (2 po) de diamètre. Disposer sur une plaque non graissée et faire cuire au four de 8 à 10 minutes, jusqu'à ce que les biscuits commencent à durcir. Les déposer sur une grille et les laisser refroidir. Répéter l'opération avec le reste de la pâte.
- Pour préparer la garniture, incorporer le sucre glace à la graisse végétale. Ajouter suffisamment de lait pour obtenir la consistance désirée.
- Tartiner la moitié des biscuits avec la garniture et les recouvrir d'un autre biscuit.

CROQUETS AU CHOCOLAT ET À LA BANANE

(environ 2 douzaines)

75 ml	**bananes écrasées**	**⅓ tasse**
15 ml	**beurre non salé, fondu**	**1 c. à s.**
30 ml	**cassonade**	**2 c. à s.**
15 ml	**sirop de maïs**	**1 c. à s.**
75 ml	**lait concentré sucré**	**⅓ tasse**
250 ml	**flocons de maïs écrasés**	**1 tasse**
125 ml	**farine tout usage**	**½ tasse**
2 ml	**bicarbonate de soude**	**½ c. à t.**
75 ml	**pépites de caramel au beurre**	**⅓ tasse**
75 ml	**pépites de chocolat**	**⅓ tasse**
50 ml	**noix de Grenoble hachées**	**¼ tasse**

- Préchauffer le four à 180 °C (350 °F). Graisser et fariner une plaque à biscuits.
- Dans un bol, mélanger les bananes avec le beurre. Incorporer tour à tour la cassonade, le sirop de maïs, le lait et les flocons de maïs.
- Tamiser ensemble la farine et le bicarbonate de soude. Incorporer ces ingrédients au premier mélange. Ajouter les pépites de caramel au beurre et de chocolat, ainsi que les noix; mélanger.
- Déposer la pâte à la cuillère sur la plaque. Faire cuire au four de 10 à 12 minutes, jusqu'à ce que les biscuits soient fermes, puis les déposer sur une grille et les laisser refroidir.

Boules au chocolat sans cuisson

(environ 2½ douzaines)

125 ml	**pépites au beurre d'arachide**	**½ tasse**
50 ml	**beurre non salé**	**¼ tasse**
250 ml	**sucre glace**	**1 tasse**
125 ml	**dattes hachées**	**½ tasse**
125 ml	**noix de Grenoble hachées**	**½ tasse**
50 ml	**pépites de chocolat blanc**	**¼ tasse**
30 ml	**jus d'orange**	**2 c. à s.**
5 ml	**zeste d'orange râpé**	**1 c. à t.**
500 ml	**céréales de grains de riz**	**2 tasses**
6	**carrés de chocolat à cuire mi-sucré**	**6**

- Au bain-marie, faire fondre les pépites au beurre d'arachide avec le beurre. Laisser refroidir et réserver.
- Dans un grand bol, mélanger le sucre glace, les dattes, les noix et les pépites de chocolat blanc de telle sorte que les morceaux de datte soient bien enrobés de sucre. Incorporer le jus et le zeste d'orange à l'appareil au beurre. Ajouter ces ingrédients aux ingrédients secs et bien mélanger. Incorporer les céréales.
- Avec les mains mouillées, façonner la pâte en petites boules de 2,5 cm (1 po) de diamètre. Laisser reposer au réfrigérateur.
- Faire fondre le chocolat au bain-marie. Y tremper les petites boules, les déposer sur une feuille de papier ciré et laisser durcir le chocolat.

Biscuits chocolat-chocolat

(3 douzaines)

250 ml	**beurre non salé**	**1 tasse**
175 ml	**cassonade**	**¾ tasse**
175 ml	**sucre**	**¾ tasse**
2	**œufs**	**2**
500 ml	**farine tout usage**	**2 tasses**
2 ml	**sel**	**½ c. à t.**
5 ml	**bicarbonate de soude**	**1 c. à t.**
175 ml	**pépites de chocolat**	**¾ tasse**
4	**carrés de chocolat à cuire mi-sucré, en gros morceaux**	**4**
1 ml	**extrait d'amandes**	**¼ c. à t.**

- Préchauffer le four à 190 °C (375 °F). Graisser et fariner une plaque à biscuits.
- Dans un grand bol, battre le beurre, la cassonade et le sucre jusqu'à l'obtention d'une crème légère et mousseuse. Ajouter les œufs et battre pendant 1 minute.
- Mélanger la farine, le sel et le bicarbonate de soude. Les incorporer graduellement au premier appareil, en battant à faible vitesse. Ajouter les pépites et les morceaux de chocolat ainsi que l'extrait d'amandes; mélanger.
- Déposer la pâte à la cuillère sur la plaque. Faire cuire au four 10 minutes, puis déposer les biscuits sur une grille et les laisser refroidir.

BISCUITS AU CHOCOLAT ET À L'ORANGE

(3 douzaines)

125 ml	**graisse végétale**	**½ tasse**
250 ml	**sucre**	**1 tasse**
2	**œufs, battus**	**2**
10 ml	**zeste d'orange râpé**	**2 c. à t.**
500 ml	**farine tout usage**	**2 tasses**
75 ml	**poudre de cacao**	**⅓ tasse**
5 ml	**poudre à pâte**	**1 c. à t.**
45 ml	**jus d'orange**	**3 c. à s.**

- Dans un grand bol, battre en crème la graisse végétale et le sucre. Ajoutez les œufs, le zeste d'orange et bien mélanger.
- Tamiser ensemble la farine, la poudre de cacao et la poudre à pâte. Incorporer ces ingrédients secs aux ingrédients humides en alternant avec le jus d'orange. Terminer par les ingrédients secs.
- Envelopper la pâte dans une pellicule de plastique et la laisser reposer au réfrigérateur 3 heures.
- Préchauffer le four à 200 °C (400 °F). Graisser et fariner une plaque à biscuits.
- Abaisser la pâte à 6 mm (¼ po) d'épaisseur, puis la détailler à l'emporte-pièce. Disposer sur la plaque et faire cuire au four de 8 à 10 minutes. Déposer les biscuits sur une grille et les laisser refroidir. Les décorer avec de la glace, si désiré.

RECETTE DE L'INSTITUT DE TOURISME ET D'HÔTELLERIE DU QUÉBEC

BISCUITS POUR LES AMIS

(2 douzaines)

125 ml	**beurre non salé, ramolli**	**½ tasse**
125 ml	**cassonade**	**½ tasse**
5 ml	**extrait de vanille**	**1 c. à t.**
1	**œuf**	**1**
250 ml	**farine tout usage**	**1 tasse**
1 ml	**bicarbonate de soude**	**¼ c. à t.**
2 ml	**sel**	**½ c. à t.**
250 ml	**pépites de chocolat**	**1 tasse**
	garniture au choix (pépites de chocolat, pépites de chocolat enrobées de bonbon, granules, etc.)	

- Préchauffer le four à 180 °C (350 °F). Graisser et fariner une plaque à biscuits.
- Battre en crème le beurre et la cassonade. Ajouter l'extrait de vanille et l'œuf; continuer à battre pendant 5 minutes.
- Tamiser ensemble la farine, le bicarbonate de soude et le sel ; incorporer délicatement ces ingrédients au premier mélange, pour obtenir une pâte homogène. Si désiré, ajouter les pépites de chocolat à la pâte ou les utiliser pour garnir les biscuits après les avoir façonnés en galettes.
- Avec les mains, façonner la pâte en petites galettes, les déposer sur une plaque à biscuits et les décorer avec une garniture au choix.
- Faire cuire au four environ 10 minutes. Laisser refroidir les biscuits avant de les servir.

RECETTE DE L'INSTITUT DE TOURISME ET D'HÔTELLERIE DU QUÉBEC

BISCUITS À CARREAUX

(environ 4 douzaines)

1	**carré de chocolat à cuire non sucré**	**1**
125 ml	**beurre non salé**	**½ tasse**
125 ml	**graisse végétale**	**½ tasse**
250 ml	**sucre**	**1 tasse**
1	**œuf**	**1**
15 ml	**amaretto**	**1 c. à s.**
500 ml	**farine tout usage**	**2 tasses**
1	**blanc d'œuf**	**1**

- Faire fondre le chocolat au bain-marie. Laisser refroidir et réserver.
- Dans un grand bol, battre le beurre, la graisse végétale et le sucre jusqu'à l'obtention d'une crème légère et mousseuse. Y incorporer l'œuf et l'amaretto. Ajouter la farine et mélanger; au besoin, travailler la pâte avec les mains. Sur un plan de travail fariné, la pétrir jusqu'à ce qu'elle soit homogène.
- Diviser la pâte en 2; incorporer le chocolat à l'une des portions. Envelopper la pâte dans du papier ciré et la laisser reposer au réfrigérateur environ 2 heures.
- Diviser chaque portion en 2 et façonner chacune en un mince rouleau de 2,5 cm (1 po) de diamètre et de 30 cm (12 po) de long. Badigeonner de blanc d'œuf légèrement battu.
- Presser ensemble un rouleau blanc et un brun et déposer les deux autres par-dessus, en alternant les couleurs, pour obtenir un bloc. Envelopper dans du papier ciré et laisser reposer au réfrigérateur, 2 heures.
- Préchauffer le four à 190 °C (375 °F). Détailler la pâte en tranches de 6 mm (¼ po) d'épaisseur et les disposer sur une plaque non graissée. Faire cuire au four de 8 à 10 minutes, jusqu'à ce que les bords commencent à brunir. Déposer les biscuits sur une grille et les laisser refroidir.

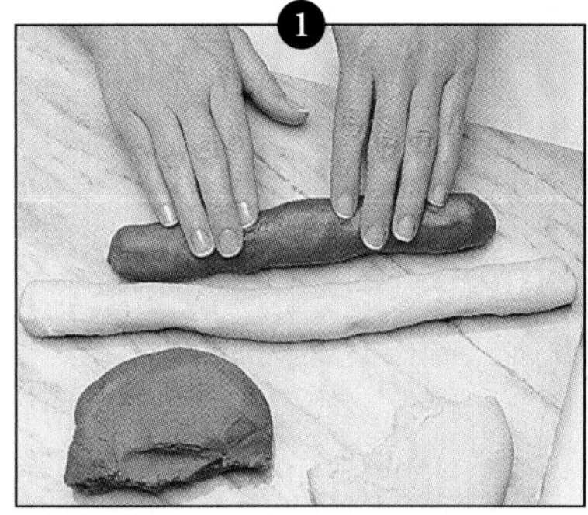

Diviser chaque portion en 2 et façonner chacune en un mince rouleau de 2,5 cm (1 po) de diamètre et de 30 cm (12 po) de long.

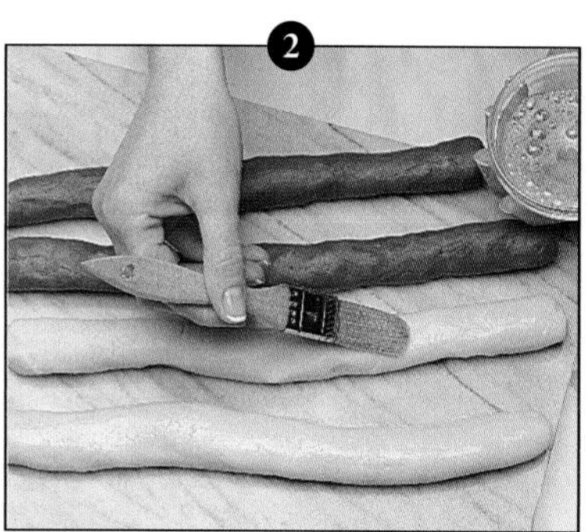

Badigeonner de blanc d'œuf légèrement battu.

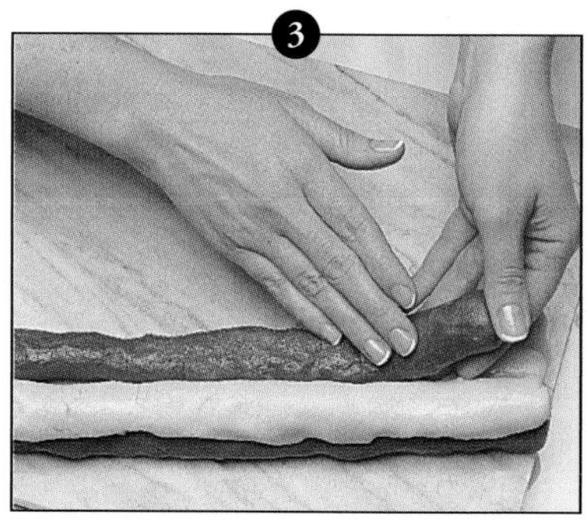

Presser ensemble un rouleau blanc et un brun et déposer les deux autres par-dessus, en alternant les couleurs, pour obtenir un bloc.

Biscuits aux brisures de chocolat et aux pacanes

(3 douzaines)

250 ml	**beurre non salé, ramolli**	**1 tasse**
250 ml	**sucre**	**1 tasse**
125 ml	**cassonade**	**½ tasse**
2	**gros œufs**	**2**
5 ml	**extrait de vanille**	**1 c. à t.**
575 ml	**farine tout usage**	**2⅓ tasses**
5 ml	**bicarbonate de soude**	**1 c. à t.**
6	**carrés de chocolat blanc à cuire, en gros morceaux**	**6**
6	**carrés de chocolat à cuire mi-sucré, en gros morceaux**	**6**
125 ml	**pacanes hachées**	**½ tasse**

- Préchauffer le four à 190 °C (375 °F). Graisser une plaque à biscuits.
- Dans un grand bol, battre en crème le beurre, le sucre et la cassonade. Incorporer les œufs et l'extrait de vanille. Battre jusqu'à ce que le mélange soit léger et mousseux.
- Tamiser ensemble la farine et le bicarbonate de soude. Les incorporer au premier mélange. Ajouter les morceaux de chocolat et les pacanes; bien mélanger.
- Déposer la pâte à la cuillère sur la plaque. Faire cuire au four de 10 à 12 minutes, jusqu'à ce que les bords soient dorés. Déposer les biscuits sur une grille et les laisser refroidir.

BISCUITS AU BEURRE D'ARACHIDE ET AUX DEUX CHOCOLATS

(3 douzaines)

125 ml	**graisse végétale**	**½ tasse**
50 ml	**sucre**	**¼ tasse**
125 ml	**cassonade**	**½ tasse**
1	**œuf**	**1**
125 ml	**beurre d'arachide croquant**	**½ tasse**
375 ml	**farine tout usage**	**1½ tasse**
5 ml	**bicarbonate de soude**	**1 c. à t.**
1	**pincée de sel**	**1**
125 ml	**pépites de chocolat mi-sucré**	**½ tasse**
125 ml	**pépites de chocolat blanc**	**½ tasse**

- Préchauffer le four à 190 °C (375 °F).
- Dans un grand bol, battre en crème la graisse végétale, le sucre et la cassonade. Incorporer l'œuf, puis le beurre d'arachide.
- Tamiser ensemble la farine, le bicarbonate de soude et le sel. Ajouter au premier appareil et mélanger grossièrement. Incorporer les pépites de chocolat.
- Façonner la pâte en petites boules, les disposer sur une plaque à biscuits non graissée et les aplatir avec une fourchette.
- Faire cuire au four de 8 à 10 minutes, puis déposer les biscuits sur une grille et les laisser refroidir.

BISCUITS CHOCO-CARAMEL

(3½ douzaines)

125 ml	**beurre non salé, ramolli**	**½ tasse**
175 ml	**sucre**	**¾ tasse**
2	**œufs**	**2**
45 ml	**crème 15 %**	**3 c. à s.**
500 ml	**farine tout usage**	**2 tasses**
2 ml	**bicarbonate de soude**	**½ c. à t.**
125 ml	**poudre de cacao**	**½ tasse**
1	**pincée de sel**	**1**
125 ml	**pépites de chocolat blanc**	**½ tasse**
125 ml	**pépites de caramel au beurre**	**½ tasse**

- Préchauffer le four à 180 °C (350 °F). Graisser une plaque à biscuits.
- Dans un grand bol, battre en crème le beurre et le sucre pendant 3 minutes. Ajouter les œufs et continuer à battre jusqu'à ce que l'appareil soit mousseux. Y incorporer la crème.
- Tamiser ensemble les ingrédients secs au-dessus du premier appareil ; bien incorporer. Ajouter les pépites de chocolat et de caramel et bien mélanger.
- Déposer la pâte à la cuillère sur la plaque. Faire cuire au four de 8 à 10 minutes, puis déposer les biscuits sur une grille et les laisser refroidir.

Boudoirs au gingembre et au chocolat

(2 douzaines)

400 g	**pâte d'amandes**	**14 oz**
125 ml	**gingembre confit, finement haché**	**½ tasse**
9	**carrés de chocolat à cuire mi-sucré, fondus**	**9**
15 ml	**huile végétale**	**1 c. à s.**
	poudre de cacao	

- Dans un bol, bien mélanger la pâte d'amandes avec le gingembre en pétrissant la pâte. Détacher de petites boules de pâte et les façonner en petits boudoirs de 6 cm (2½ po) de long.
- Mélanger le chocolat avec l'huile; y tremper les boudoirs. Les disposer sur une grille et les laisser reposer au réfrigérateur jusqu'à ce que le chocolat prenne. Saupoudrer de poudre de cacao.

BISCUITS AUX PÉPITES DE CHOCOLAT

(2 douzaines)

25 ml	**beurre non salé, ramolli**	**1½ c. à s.**
75 ml	**graisse végétale, ramollie**	**⅓ tasse**
50 ml	**cassonade**	**¼ tasse**
75 ml	**sucre**	**⅓ tasse**
250 ml	**farine à pâtisserie**	**1 tasse**
5 ml	**poudre à pâte**	**1 c. à t.**
1 ml	**sel**	**¼ c. à t.**
1	**petit œuf**	**1**
125 ml	**pépites de chocolat**	**½ tasse**

- Préchauffer le four à 190 °C (375 °F). Graisser et fariner une plaque à biscuits.
- Dans un grand bol, mélanger le beurre avec la graisse végétale, la cassonade et le sucre. Tamiser ensemble la farine, la poudre à pâte et le sel. En sablant la pâte du bout des doigts, incorporer ces ingrédients secs aux ingrédients humides. Ajouter l'œuf et les pépites de chocolat, et bien mélanger pour obtenir une pâte ferme.
- Avec une poche à douille ronde et unie de gros calibre, ou avec une cuillère, dresser la pâte sur la plaque à biscuits.
- Faire cuire au four jusqu'à ce que les biscuits soient dorés, puis les déposer sur une grille et les laisser refroidir.

Recette de l'Institut de tourisme et d'hôtellerie du Québec

Biscuits à la guimauve glacés au chocolat

(4 douzaines)

125 ml	**beurre non salé**	**½ tasse**
250 ml	**cassonade**	**1 tasse**
1	**œuf**	**1**
5 ml	**extrait de vanille**	**1 c. à t.**
500 ml	**farine tout usage**	**2 tasses**
2 ml	**bicarbonate de soude**	**½ c. à t.**
24	**grosses guimauves, coupées en 2 sur la largeur**	**24**

Glaçage

6	**carrés de chocolat à cuire mi-sucré**	**6**
125 ml	**beurre non salé**	**½ tasse**

- Préchauffer le four à 180 °C (350 °F). Graisser légèrement deux plaques à biscuits.
- Dans un grand bol, battre en crème le beurre et la cassonade. Ajouter l'œuf, et l'extrait de vanille; continuer à battre jusqu'à l'obtention d'un appareil léger et mousseux. Incorporer la farine et le bicarbonate de soude.
- Sur un plan de travail légèrement fariné, abaisser la pâte à 6 mm (¼ po) d'épaisseur. La détailler avec un emporte-pièce rond de 4 cm (1½ po) de diamètre. Disposer les ronds de pâte sur les plaques et faire cuire au four environ 6 minutes.
- Sortir les biscuits du four et déposer aussitôt une demi-guimauve sur chacun, le côté tranché vers le bas, puis remettre au four 2 minutes pour que la guimauve adhère au biscuit. Déposer sur une grille et laisser refroidir.
- Pour préparer le glaçage, dans une petite casserole à fond épais, à feu doux, faire fondre le chocolat et le beurre en mélangeant bien. Avec une cuillère, napper les guimauves de ce mélange.

BRETZELS AU CHOCOLAT

(3 douzaines)

2	**carrés de chocolat à cuire non sucré**	**2**
50 ml	**beurre non salé, ramolli**	**¼ tasse**
50 ml	**graisse végétale**	**¼ tasse**
125 ml	**cassonade**	**½ tasse**
2 ml	**cannelle moulue**	**½ c. à t.**
2	**œufs**	**2**
550 ml	**farine tout usage**	**2¼ tasses**
1	**pincée de sel**	
1	**blanc d'œuf, légèrement battu**	**1**
	sucre cristallisé	

- Faire fondre le chocolat au bain-marie, puis le laisser refroidir.
- Dans un bol de taille moyenne, battre en crème le beurre, la graisse végétale et la cassonade. Incorporer la cannelle, les œufs et le chocolat fondu. Tamiser ensemble la farine et le sel. Ajouter ces ingrédients au premier appareil et mélanger, d'abord avec une cuillère en bois, puis avec les mains, jusqu'à l'obtention d'une pâte homogène. Envelopper dans une pellicule de plastique et laisser reposer au réfrigérateur 1 heure.
- Préchauffer le four à 180 °C (350 °F). Graisser une plaque à biscuits.
- Façonner la pâte en petites boules de la taille d'une noix de Grenoble. Avec la main, rouler chaque boule en un fin rouleau de 25 cm (10 po) de long. Nouer en faisant une boucle, puis ramener les extrémités du rouleau sur la partie supérieure de la boucle et appuyer pour sceller.
- Disposer les bretzels sur la plaque, les badigeonner de blanc d'œuf, les parsemer de sucre cristallisé et les faire cuire au four de 12 à 15 minutes. Les déposer sur une grille et les laisser refroidir.

CROQUETS AU CHOCOLAT ET AUX NOIX DE MACADAMIA

(2 douzaines)

6	**carrés de chocolat au lait**	**6**
30 ml	**beurre non salé**	**2 c. à s.**
2	**œufs**	**2**
1 ml	**extrait de vanille**	**¼ c. à t.**
250 ml	**sucre**	**1 tasse**
325 ml	**farine tout usage**	**1⅓ tasse**
2 ml	**poudre à pâte**	**½ c. à t.**
1	**pincée de sel**	**1**
175 ml	**noix de macadamia hachées**	**¾ tasse**

- Préchauffer le four à 180 °C (350 °F). Graisser et fariner légèrement une plaque à biscuits.
- Faire fondre doucement le chocolat avec le beurre, au bain-marie. Retirer du feu et laisser légèrement refroidir.
- Dans un grand bol, battre les œufs jusqu'à ce qu'ils soient légers et pâles. Ajouter l'extrait de vanille et le sucre. Battre jusqu'à ce que le mélange épaississe. Y incorporer le chocolat fondu.
- Tamiser ensemble la farine, la poudre à pâte et le sel. Ajouter ces ingrédients au premier appareil et mélanger. Incorporer les noix.
- Déposer la pâte à la cuillère sur la plaque. Faire cuire au four environ 10 minutes, puis déposer les biscuits sur une grille et les laisser refroidir.

Faire fondre doucement le chocolat avec le beurre, au bain-marie.

Aux œufs battus, ajouter l'extrait de vanille et le sucre.

Incorporer le chocolat fondu.

Ajouter la farine tamisée avec la poudre à pâte et le sel. Incorporer les noix.

Croquets au chocolat, aux amandes et au caramel

(3 douzaines)

125 ml	**beurre non salé**	**½ tasse**
125 ml	**cassonade**	**½ tasse**
175 ml	**sucre**	**¾ tasse**
1	**gros œuf, battu**	**1**
30 ml	**crème 35 %**	**2 c. à s.**
375 ml	**farine tout usage**	**1½ tasse**
1 ml	**sel**	**¼ c. à t.**
125 ml	**brisures de chocolat mi-sucré**	**½ tasse**
125 ml	**amandes taillées**	**½ tasse**
2	**barres au caramel croquant, en morceaux**	**2**

- Préchauffer le four à 200 °C (400 °F). Graisser et fariner une plaque à biscuits.
- Dans un grand bol, battre le beurre, la cassonade et le sucre jusqu'à l'obtention d'une crème légère et mousseuse. Ajouter l'œuf et battre pendant 1 minute. Incorporer la crème.
- Tamiser ensemble la farine et le sel, puis les incorporer délicatement au mélange crémeux. Ajouter les brisures de chocolat, les amandes et les morceaux de caramel croquant; bien mélanger.
- Déposer la pâte à la cuillère sur la plaque. Faire cuire au four 8 minutes, puis déposer les biscuits sur une grille et les laisser refroidir.

BISCUITS GARNIS ET BISCUITS-SANDWICHES

Les biscuits garnis et les biscuits-sandwiches font toujours sensation et sont beaucoup moins compliqués à préparer qu'ils ne peuvent le laisser paraître. Leurs garnitures multiples permettent de marier agréablement saveurs et textures. Certains sont garnis avant la cuisson et d'autres, après. Dans ce dernier cas, il est important de bien laisser refroidir les biscuits afin d'éviter que la garniture ne fonde.

Savoureux à souhait, ces biscuits croustillants agrémentés de fruits ou de crème aromatisée feront les délices de chacun!

Cornets à la crème

(environ 2 douzaines)

125 ml	**farine tout usage**	**½ tasse**
125 ml	**sucre**	**½ tasse**
50 ml	**amandes finement moulues**	**¼ tasse**
2	**blancs d'œufs**	**2**
60 ml	**beurre non salé, fondu**	**4 c. à s.**
5 ml	**zeste d'orange**	**1 c. à t.**
250 ml	**purée de marrons**	**1 tasse**
15 ml	**amaretto**	**1 c. à s.**
5 ml	**extrait d'amandes**	**1 c. à t.**
250 ml	**crème 35 %, fouettée**	**1 tasse**

- Préchauffer le four à 160 °C (325 °F). Graisser et fariner une plaque à biscuits.
- Mélanger la farine, le sucre et les amandes. Dans un grand bol, battre les blancs d'œufs; y incorporer peu à peu les ingrédients secs, le beurre fondu et le zeste d'orange.
- Déposer la pâte à la cuillère sur la plaque, 6 biscuits à la fois. Avec une fourchette mouillée, étaler la pâte pour former un rond très mince. Faire cuire au four de 10 à 12 minutes, jusqu'à ce que les biscuits soient fermes et que les bords commencent à dorer. Les mouler délicatement autour d'une corne en métal, puis les déposer sur une grille et les laisser refroidir. Répéter l'opération avec le reste de la pâte. Conserver les biscuits dans un contenant hermétique.
- Avant de servir, préparer la garniture. Faire ramollir la purée de marrons. Y ajouter l'amaretto et l'extrait d'amandes; bien mélanger. Incorporer ces ingrédients à la crème fouettée. Avec une poche à douille, remplir les cornets de garniture.

Beat in the egg yolk. Fold in the
flour mixture first using a knife
and then the fingers. Knead the
dough on a floured surface.
Cut with a 2 1/2" cutter.

BISCUITS À LA FARINE DE SARRASIN

(3 douzaines)

250 ml	**beurre non salé**	**1 tasse**
150 ml	**sucre**	**⅔ tasse**
2	**œufs, battus**	**2**
4 ml	**extrait de vanille**	**¾ c. à t.**
125 ml	**mélasse**	**½ tasse**
875 ml	**farine de sarrasin**	**3½ tasses**
10 ml	**bicarbonate de soude**	**2 c. à t.**
1	**pincée de sel**	**1**
125 ml	**confiture de fraises**	**½ tasse**

- Battre en crème le beurre et 125 ml (½ tasse) de sucre. Incorporer tour à tour les œufs, l'extrait de vanille et la mélasse. Mélanger la farine de sarrasin, le bicarbonate de soude et le sel. Bien incorporer au premier appareil. Couvrir la pâte et la laisser reposer 2 heures, au réfrigérateur.
- Préchauffer le four à 180 °C (350 °F). Graisser une plaque à biscuits.
- Sur un plan de travail fariné, abaisser la pâte à 3 mm (⅛ po) d'épaisseur. À l'emporte-pièce, la détailler en ronds de 5 cm (2 po) de diamètre. Avec un emporte-pièce rond plus petit, évider le centre de la moitié des ronds de pâte. Recouvrir chaque rond plein d'un rond évidé; disposer sur la plaque et saupoudrer de sucre.
- Faire cuire au four de 10 à 12 minutes, puis laisser refroidir. Garnir chaque biscuit de 15 ml (1 c. à s.) de confiture.

RECETTE DE L'INSTITUT DE TOURISME ET D'HÔTELLERIE DU QUÉBEC

BISCUITS FOURRÉS À LA POMME ET À LA CANNELLE

(2 douzaines)

3	**pommes, pelées, évidées et coupées en dés**	**3**
30 ml	**gelée de pommes**	**2 c. à s.**
15 ml	**miel**	**1 c. à s.**
2 ml	**cannelle moulue**	**½ c. à t.**
175 ml	**sucre**	**¾ tasse**
125 ml	**beurre non salé, ramolli**	**½ tasse**
125 ml	**graisse végétale**	**½ tasse**
2 ml	**extrait de vanille**	**½ c. à t.**
1	**œuf**	**1**
500 ml	**farine tout usage**	**2 tasses**
5 ml	**poudre à pâte**	**1 c. à t.**

- Dans une petite casserole, à feu moyen-doux, faire cuire les pommes, la gelée de pommes, le miel et la cannelle 10 minutes. Laisser refroidir et réserver.
- Dans un grand bol, mélanger le sucre, le beurre, la graisse végétale, l'extrait de vanille et l'œuf. Incorporer la farine et la poudre à pâte. Couvrir et laisser reposer 1 heure, au réfrigérateur.
- Préchauffer le four à 180 °C (350 °F). Diviser la pâte en 2 et, sur un plan de travail légèrement fariné, abaisser chaque portion en un rectangle de 23 cm sur 30 cm (9 po sur 12 po). Le détailler en rectangles de 3 cm sur 6 cm (1¼ po sur 2¼ po).
- Déposer une grosse cuillerée de garniture aux pommes sur la moitié des rectangles, puis recouvrir d'un autre rectangle; presser les bords pour sceller. Pratiquer 2 légères incisions sur le dessus. Disposer sur une plaque graissée et faire cuire au four 10 minutes. Déposer les biscuits sur une grille et les laisser refroidir.

BISCUITS-SANDWICHES AUX DATTES

(2 douzaines)

250 ml	**beurre non salé**	**1 tasse**
175 ml	**cassonade**	**¾ tasse**
1	**œuf**	**1**
75 ml	**mélasse**	**⅓ tasse**
5 ml	**extrait de vanille**	**1 c. à t.**
50 ml	**eau bouillante**	**¼ tasse**
1 litre	**farine tout usage**	**4 tasses**
10 ml	**bicarbonate de soude**	**2 c. à t.**
1	**pincée de sel**	**1**
500 ml	**dattes hachées**	**2 tasses**
125 ml	**eau bouillante**	**½ tasse**
50 ml	**sucre**	**¼ tasse**
	sucre	

- Préchauffer le four à 160 °C (325 °F). Graisser une plaque à biscuits.
- Dans un grand bol, battre en crème le beurre et la cassonade. Dans un autre bol, battre l'œuf avec la mélasse et l'extrait de vanille, puis ajouter 50 ml (¼ tasse) d'eau bouillante. Incorporer cette préparation au premier appareil. Tamiser ensemble la farine, le bicarbonate de soude et le sel; les incorporer au mélange.
- Abaisser la pâte à 6 mm (¼ po) d'épaisseur. La détailler à l'emporte-pièce.
- Dans une casserole, mélanger les dattes avec 125 ml (½ tasse) d'eau bouillante et 50 ml (¼ tasse) de sucre. Porter à ébullition et laisser mijoter 3 minutes. Laisser tiédir, puis répartir ce mélange entre la moitié des biscuits. Recouvrir chacun d'un autre biscuit. Saupoudrer de sucre.
- Disposer les biscuits sur la plaque et les faire cuire au four de 12 à 15 minutes. Les déposer sur une grille et les laisser refroidir.

RECETTE DE L'INSTITUT DE TOURISME ET D'HÔTELLERIE DU QUÉBEC

Abaisser la pâte à 6 mm (¼ po) d'épaisseur. La détailler à l'emporte-pièce.

Répartir le mélange aux dattes entre la moitié des biscuits.

Recouvrir chacun d'un autre biscuit.

BISCUITS CHOCO FOURRÉS AU CARAMEL

(environ 3 douzaines)

175 ml	**beurre non salé**	**¾ tasse**
250 ml	**sucre glace**	**1 tasse**
2	**œufs**	**2**
60 ml	**jus d'orange**	**4 c. à s.**
125 ml	**farine tout usage**	**½ tasse**
125 ml	**farine de maïs**	**½ tasse**
75 ml	**poudre de cacao**	**⅓ tasse**
100 g	**caramels (environ 13)**	**3½ oz**
15 ml	**beurre non salé**	**1 c. à s.**
30 ml	**lait concentré sucré**	**2 c. à s.**

- Préchauffer le four à 180 °C (350 °F). Graisser légèrement une plaque à biscuits.
- Dans un grand bol, battre 175 ml (¾ tasse) de beurre et le sucre glace jusqu'à l'obtention d'une crème mousseuse. Y incorporer les œufs et le jus d'orange. Tamiser ensemble les farines et la poudre de cacao. Ajouter peu à peu ces ingrédients au premier appareil et bien mélanger.
- Sur la plaque, avec une poche à douille cannelée, disposer la pâte en bâtonnets de 2,5 cm sur 7,5 cm (1 po sur 3 po), à 5 cm (2 po) d'intervalle. Faire cuire au four de 8 à 10 minutes, jusqu'à ce que la pâte commence à se rétracter aux extrémités. Déposer les biscuits sur une grille et les laisser refroidir.
- Pour préparer la garniture, dans une petite casserole, à feu très doux, faire fondre les caramels avec le beurre et le lait concentré en remuant sans arrêt. Napper de cet appareil le dessous de la moitié des biscuits et les recouvrir d'un autre biscuit, le dessous contre la garniture; appuyer légèrement. (Si la garniture commence à durcir, garder le récipient au-dessus d'un bol d'eau chaude.)
- Laisser reposer quelques minutes au réfrigérateur, jusqu'à ce que la garniture durcisse.

BISCUITS FOURRÉS AU BEURRE D'ARACHIDE

(3 douzaines)

125 ml	**graisse végétale**	**½ tasse**
300 ml	**cassonade**	**1¼ tasse**
3	**œufs, battus**	**3**
5 ml	**extrait de vanille**	**1 c. à t.**
1,25 litre	**farine tout usage**	**5 tasses**
15 ml	**poudre à pâte**	**1 c. à s.**
1 ml	**sel**	**¼ c. à t.**
50 ml	**lait**	**¼ tasse**
125 ml	**sucre**	**½ tasse**
5 ml	**farine tout usage**	**1 c. à t.**
125 ml	**raisins de Corinthe**	**½ tasse**
125 ml	**eau**	**½ tasse**
125 ml	**beurre d'arachide**	**½ tasse**

- Préchauffer le four à 180 °C (350 °F). Graisser une plaque à biscuits.
- Dans un grand bol, battre en crème la graisse et la cassonade. Incorporer les œufs et l'extrait de vanille. Tamiser ensemble 1,25 litre (5 tasses) de farine, la poudre à pâte et le sel, puis les incorporer au premier appareil en alternant avec le lait. Laisser reposer la pâte au réfrigérateur 10 minutes.
- Abaisser la pâte à 3 mm (⅛ po) d'épaisseur. La détailler avec un emporte-pièce rond de 8 cm (3 po) de diamètre. Piquer le dessus des biscuits avec une fourchette, les disposer sur la plaque et les faire cuire au four 10 minutes.
- Porter à ébullition le sucre, 5 ml (1 c. à t.) de farine, les raisins et l'eau; faire cuire jusqu'à ce que le mélange épaississe. Retirer du feu et incorporer le beurre d'arachide.
- Étaler 10 ml (2 c. à t.) de mélange au beurre d'arachide sur la moitié des biscuits. Recouvrir chacun d'un autre biscuit.

RECETTE DE L'INSTITUT DE TOURISME ET D'HÔTELLERIE DU QUÉBEC

GAUFRETTES AUX AMANDES

(4 douzaines)

175 ml	**amandes blanchies moulues**	**¾ tasse**
500 ml	**farine tout usage**	**2 tasses**
175 ml	**beurre non salé**	**¾ tasse**
90 ml	**sucre**	**6 c. à s.**
1	**œuf**	**1**
1	**pincée de sel**	**1**
125 ml	**glaçage blanc**	**½ tasse**
50 ml	**gelée de groseilles**	**¼ tasse**

- Dans un grand bol, mélanger les amandes avec la farine. Creuser un puits au centre et ajouter le reste des ingrédients, sauf le glaçage et la gelée.
- Du bout des doigts, travailler les ingrédients pour former une pâte. La pétrir jusqu'à ce qu'elle soit homogène, puis la rouler en boule. L'envelopper dans un linge propre et la laisser reposer au réfrigérateur 1 heure.
- Préchauffer le four à 190 °C (375 °F). Graisser et fariner une plaque à biscuits.
- Sur un plan de travail légèrement fariné, abaisser la pâte en un rectangle de 3 mm (⅛ po) d'épaisseur. Couper les bords afin de les égaliser, puis détailler l'abaisse en carrés de 5 cm (2 po) de côté. Les déposer sur une plaque à biscuits.
- Faire cuire les biscuits au four 8 minutes, puis les déposer sur une grille et les laisser refroidir. Avec une poche à douille de petit calibre, garnir la moitié des biscuits de glaçage. Napper les autres de gelée. Recouvrir ces derniers avec les biscuits glacés et servir.

CIGARETTES

(environ 3 douzaines)

125 ml	**cassonade**	**½ tasse**
125 ml	**sirop de maïs**	**½ tasse**
75 ml	**beurre non salé**	**⅓ tasse**
45 ml	**noix de coco en flocons**	**3 c. à s.**
250 ml	**farine tout usage**	**1 tasse**
2 ml	**poudre à pâte**	**½ c. à t.**
30 ml	**crème de café**	**2 c. à s.**
250 ml	**crème 35 %**	**1 tasse**

- Préchauffer le four à 160 °C (325 °F).
- Dans une petite casserole, à feu doux, bien mélanger la cassonade, le sirop de maïs et le beurre, jusqu'à ce que la cassonade soit dissoute. Ajouter la noix de coco. Tamiser ensemble la farine et la poudre à pâte. Incorporer ces ingrédients et 15 ml (1 c. à s.) de crème de café au premier appareil.
- Déposer la pâte à la cuillère sur une plaque non graissée; ne préparer que 6 biscuits à la fois. Faire cuire au four de 7 à 9 minutes, jusqu'à ce que la pâte s'étale et que des bulles se forment à la surface.
- Sortir la plaque du four et laisser reposer environ 1 minute. Enrouler les biscuits, 3 à la fois, autour du manche d'une cuillère en bois. S'ils durcissent trop vite, les remettre au four environ 30 secondes. Déposer les cigarettes sur une grille et les laisser refroidir. Les conserver dans un contenant hermétique.
- Au moment de servir, fouetter la crème et y incorporer le reste de la crème de café. Fourrer chaque cigarette d'une petite quantité de crème.

BARRES AUX ABRICOTS

(environ 1½ douzaine)

125 ml	**beurre non salé**	**½ tasse**
125 g	**fromage à la crème**	**4 oz**
175 ml	**sucre**	**¾ tasse**
500 ml	**farine tout usage**	**2 tasses**
2 ml	**poudre à pâte**	**½ c. à t.**
250 ml	**abricots séchés**	**1 tasse**
45 ml	**sirop de maïs**	**3 c. à s.**

- Dans un grand bol, battre en crème le beurre, le fromage à la crème et le sucre. Tamiser ensemble la farine et la poudre à pâte; incorporer ces ingrédients au premier appareil. Laisser reposer la pâte au réfrigérateur jusqu'à ce qu'elle soit ferme (environ 4 heures).
- Mettre les abricots dans une casserole et les couvrir d'eau. Laisser mijoter jusqu'à ce qu'ils ramollissent. Les réduire en purée, ajouter le sirop de maïs et prolonger la cuisson jusqu'à ce que l'appareil ait la consistance de la confiture. Laisser refroidir.
- Préchauffer le four à 180 °C (350 °F). Graisser et fariner une plaque à biscuits.
- Diviser la pâte en 3; la garder au réfrigérateur jusqu'au moment de l'utiliser. Abaisser une portion de pâte en un rectangle de 15 cm sur 25 cm (6 po sur 10 po). Humecter le bord droit du rectangle sur 1 cm (½ po). Étaler le tiers de la garniture à la gauche du centre. Replier le côté gauche sur la garniture. Replier le côté droit pour qu'il chevauche la pâte. Presser doucement pour sceller. Pincer les extrémités pour les fermer. Répéter l'opération avec le reste de pâte et de garniture.
- Avec une spatule, déposer les chaussons sur la plaque, le côté scellé en dessous. Faire cuire de 20 à 25 minutes, jusqu'à ce qu'ils soient dorés.
- Laisser refroidir 5 minutes sur la plaque, couper les extrémités pour les égaliser, puis détailler en barres de 4 cm (1½ po). Les déposer sur une grille et les laisser refroidir.

DEMI-LUNES AUX FIGUES

(environ 1½ douzaine)

175 ml	**beurre non salé**	**¾ tasse**
250 ml	**sucre**	**1 tasse**
1	**œuf**	**1**
1 ml	**extrait d'amandes**	**¼ c. à t.**
425 ml	**farine tout usage**	**1¾ tasse**
12	**figues séchées**	**12**
10 ml	**miel**	**2 c. à t.**
1	**jaune d'œuf**	**1**
5 ml	**eau**	**1 c. à t.**

- Dans un grand bol, battre en crème le beurre et le sucre. Incorporer l'œuf et l'extrait d'amandes. Ajouter peu à peu la farine et mélanger. Travailler avec les mains pour obtenir une pâte homogène. Laisser reposer au réfrigérateur, 30 minutes.
- Pour préparer la garniture, débarrasser les figues de leur queue, les mettre dans une casserole, les couvrir d'eau et les faire cuire environ 15 minutes, jusqu'à ce qu'elles ramollissent. Les égoutter et réserver le liquide de cuisson. Réduire les figues en purée; y incorporer le miel et 50 ml (¼ tasse) du liquide de cuisson, pour obtenir une garniture épaisse.
- Préchauffer le four à 180 °C (350 °F). Graisser légèrement une plaque à biscuits.
- Sur un plan de travail fariné, abaisser la pâte à 6 mm (¼ po) d'épaisseur et la détailler en ronds de 7,5 cm (3 po) de diamètre. Déposer 5 ml (1 c. à t.) de garniture d'un côté de chacun des ronds et humecter le bord opposé. Replier la pâte pour obtenir un demi-cercle. Pincer le bord avec une fourchette.
- Mélanger le jaune d'œuf avec l'eau; en badigeonner les demi-lunes. Les faire cuire au four de 20 à 25 minutes, jusqu'à ce qu'elles soient dorées. Les déposer sur une grille et les laisser refroidir.

HAMENTASHEN

(environ 3 douzaines)

350 g	**pruneaux dénoyautés**	**12 oz**
125 ml	**amandes hachées finement**	**½ tasse**
15 ml	**zeste d'orange râpé**	**1 c. à s.**
250 ml	**graisse végétale**	**1 tasse**
2	**œufs**	**2**
250 ml	**miel**	**1 tasse**
1 litre	**farine tout usage**	**4 tasses**
5 ml	**poudre à pâte**	**1 c. à t.**

- Pour préparer la garniture, mettre les pruneaux dans une casserole, les couvrir tout juste d'eau et les faire cuire jusqu'à ce qu'ils soient tendres. Égoutter et réserver le liquide de cuisson.
- Écraser les pruneaux et ajouter juste assez du liquide de cuisson pour obtenir une purée épaisse (environ 2 tasses de purée). Y incorporer les amandes et le zeste d'orange.
- Préchauffer le four à 180 °C (350 °F). Graisser légèrement une plaque à biscuits.
- Pour préparer la pâte, dans un grand bol, battre en crème la graisse végétale. Y incorporer les œufs et le miel. Tamiser ensemble la farine et la poudre à pâte; incorporer peu à peu ces ingrédients au premier appareil en travaillant avec les mains, au besoin.
- Sur un plan de travail fariné, abaisser la pâte à 6 mm (¼ po) d'épaisseur. La détailler en ronds de 7,5 cm (3 po) de diamètre. Déposer une cuillerée de garniture au centre de chacun, puis rassembler les bords de manière à former un triangle; pincer la pâte pour sceller.
- Faire cuire au four 16 minutes, jusqu'à ce que les hamentashen soient dorés. Les déposer sur une grille et les laisser refroidir.

VARIANTE : GARNITURE AUX GRAINES DE PAVOT. *Au robot culinaire, réduire en poudre 500 ml (2 tasses) de graines de pavot. Y incorporer 175 ml (¾ tasse) de raisins secs et 125 ml (½ tasse) de miel. Ajouter 5 ml (1 c. à t.) de zeste de citron râpé. Dans une casserole, à feu doux, faire cuire en remuant pour obtenir une purée épaisse. Laisser refroidir avant d'utiliser.*

BOURDINS AUX FRAMBOISES

(2 douzaines)

75 ml	**beurre non salé**	**⅓ tasse**
125 ml	**graisse végétale**	**½ tasse**
250 ml	**cassonade**	**1 tasse**
1	**œuf**	**1**
1	**jaune d'œuf**	**1**
425 ml	**farine tout usage**	**1¾ tasse**
250 ml	**flocons d'avoine**	**1 tasse**
125 ml	**noix de coco râpée très finement**	**½ tasse**
2 ml	**bicarbonate de soude**	**½ c. à t.**
7 ml	**poudre à pâte**	**1½ c. à t.**
150 ml	**confiture de framboises**	**⅔ tasse**
1	**pincée de sel**	**1**

- Préchauffer le four à 160 °C (325 °F). Graisser et fariner une plaque à biscuits.
- Dans un bol, battre en crème le beurre, la graisse et la cassonade. Ajouter l'œuf et le jaune d'œuf, puis les ingrédients secs, en battant à l'aide d'un crochet après chaque addition, pour obtenir un mélange grumeleux.
- Sur un plan de travail fariné, abaisser la pâte, puis la détailler en carrés de 10 cm (4 po) de côté. Déposer 15 ml (1 c. à s.) de confiture de framboises au centre de chaque carré, badigeonner les bords avec de l'eau, replier la pâte en triangle et souder les bords. Pratiquer 3 petites incisions sur le dessus de chaque bourdin.
- Les faire cuire au four environ 15 minutes, jusqu'à ce qu'ils soient légèrement dorés. Laisser refroidir.

RECETTE DE L'INSTITUT DE TOURISME ET D'HÔTELLERIE DU QUÉBEC

Détailler la pâte en carrés de 10 cm (4 po) de côté; déposer de la confiture de framboises au centre de chacun.

Badigeonner les bords avec de l'eau.

Replier la pâte en triangle et souder les bords.

BISCUITS-SANDWICHES AUX MARRONS

(environ 2½ douzaines)

250 ml	**beurre, ramolli**	**1 tasse**
250 ml	**sucre**	**1 tasse**
5 ml	**extrait de vanille**	**1 c. à t.**
30 ml	**liqueur d'orange**	**2 c. à s.**
3	**blancs de gros œufs**	**3**
500 ml	**amandes moulues**	**2 tasses**
125 ml	**farine tout usage**	**½ tasse**
175 ml	**purée de marrons**	**¾ tasse**

- Préchauffer le four à 180 °C (350 °F). Graisser et fariner une plaque à biscuits.
- Dans un grand bol, battre le beurre et le sucre jusqu'à l'obtention d'une crème légère et mousseuse. Y incorporer l'extrait de vanille, la liqueur d'orange, puis les blancs d'œufs, un à un, en battant bien après chaque addition. Ajouter les amandes et la farine; mélanger délicatement.
- Avec une poche à douille lisse de 1 cm (½ po) de diamètre, déposer la pâte en petits tas sur la plaque. Faire cuire au four de 12 à 14 minutes.
- Déposer les biscuits sur une grille pour les laisser refroidir. Tartiner la moitié d'entre eux de la purée de marrons, puis recouvrir chacun d'un autre biscuit.

BISCUITS RAVIOLI

(3 douzaines)

4	**carrés de chocolat à cuire mi-sucré**	**4**
125 ml	**beurre non salé, ramolli**	**½ tasse**
50 ml	**graisse végétale**	**¼ tasse**
175 ml	**sucre**	**¾ tasse**
2	**œufs**	**2**
550 ml	**farine tout usage**	**2¼ tasses**
2 ml	**poudre à pâte**	**½ c. à t.**
1 ml	**sel**	**¼ c. à t.**
1 ml	**bicarbonate de soude**	**¼ c. à t.**
125 ml	**ricotta**	**½ tasse**
45 ml	**noisettes hachées**	**3 c. à s.**

- Au bain-marie, faire fondre 2 carrés de chocolat, puis laisser refroidir.
- Mélanger le beurre, la graisse, le sucre et les œufs. Y incorporer le chocolat fondu. Ajouter les ingrédients secs; bien mélanger. Couvrir et laisser reposer au réfrigérateur 1 heure, ou jusqu'à ce que la pâte soit ferme.
- Entre-temps, pour préparer la garniture, faire fondre les 2 autres carrés de chocolat. Mélanger le chocolat fondu avec la ricotta et les noisettes; réserver.
- Préchauffer le four à 180 °C (350 °F).
- Sur un plan de travail fariné, abaisser la moitié de la pâte en un rectangle de 23 cm sur 33 cm (9 po sur 13 po). La détailler en carrés de 4 cm (1½ po) de côté. Déposer 15 ml (1 c. à s.) de garniture sur la moitié des carrés et les recouvrir d'un autre carré. Sceller les bords en appuyant avec les dents d'une fourchette. Recommencer avec le reste de la pâte.
- Faire cuire au four, sur une plaque non graissée 10 minutes. Laisser refroidir sur une grille.

Biscuits à la marmelade au gingembre

(environ 4 douzaines)

125 ml	**graisse végétale**	**½ tasse**
175 ml	**sucre**	**¾ tasse**
1	**œuf**	**1**
30 ml	**lait**	**2 c. à s.**
500 ml	**farine tout usage**	**2 tasses**
7 ml	**gingembre moulu**	**1½ c. à t.**
125 ml	**marmelade au gingembre**	**½ tasse**

- Dans un grand bol, battre la graisse végétale et le sucre jusqu'à l'obtention d'une crème légère et mousseuse. Y incorporer l'œuf et le lait. Tamiser ensemble la farine et le gingembre. Ajouter ces ingrédients au premier appareil et bien mélanger. Pétrir la pâte jusqu'à ce qu'elle soit homogène; la laisser reposer au réfrigérateur 1 heure.
- Préchauffer le four à 180 °C (350 °F). Graisser légèrement une plaque à biscuits.
- Abaisser la pâte à 3 mm (⅛ po) d'épaisseur. La détailler en ronds de 4 cm (1½ po) de diamètre ou en d'autres formes, avec divers emporte-pièce. Disposer sur la plaque; faire cuire au four de 10 à 12 minutes, jusqu'à ce que les biscuits soient dorés. Les déposer sur une grille et les laisser refroidir.
- Napper la moitié des biscuits de marmelade au gingembre et les recouvrir d'un autre biscuit.

BISCUITS SURPRISES

(environ 2 douzaines)

175 ml	**beurre non salé**	**¾ tasse**
250 ml	**sucre**	**1 tasse**
1	**œuf**	**1**
2 ml	**extrait de vanille**	**½ c. à t.**
250 ml	**farine tout usage**	**1 tasse**
175 ml	**farine de blé entier**	**¾ tasse**
1	**blanc d'œuf**	**1**
175 ml	**zestes confits d'orange et de citron, hachés finement**	**¾ tasse**

- Dans un grand bol, battre en crème le beurre et le sucre. Incorporer l'œuf et l'extrait de vanille. Ajouter peu à peu les farines et bien mélanger en travaillant la pâte avec les mains. Laisser reposer au réfrigérateur, 1 heure.
- Préchauffer le four à 180 °C (350 °F). Graisser et fariner une plaque à biscuits.
- Sur un plan de travail fariné, abaisser la pâte à 6 mm (¼ po) d'épaisseur. La détailler en carrés de 5 cm (2 po) de côté; en disposer la moitié sur la plaque. Les badigeonner de blanc d'œuf légèrement battu et déposer, au centre de chacun, une petite cuillerée de zestes confits. Inciser les carrés qui restent sur 1 cm (½ po) et les déposer sur les autres; presser les bords pour les sceller.
- Faire cuire au four de 12 à 15 minutes, jusqu'à ce que les biscuits soient dorés. Les déposer sur une grille et les laisser refroidir.

VARIANTE : *pour la garniture, utiliser une purée épaisse de dattes ou de figues.*

BISCUITS À LA CONFITURE

(environ 3½ douzaines)

125 ml	**beurre non salé**	**½ tasse**
125 g	**fromage à la crème**	**4 oz**
175 ml	**sucre**	**¾ tasse**
1	**œuf**	**1**
500 ml	**farine tout usage**	**2 tasses**
2 ml	**poudre à pâte**	**½ c. à t.**
175 ml	**amandes hachées finement**	**¾ tasse**
	confiture de framboises	
	confiture d'abricots	

- Préchauffer le four à 180 °C (350 °F). Graisser légèrement une plaque à biscuits.
- Dans un grand bol, battre en crème le beurre, le fromage à la crème et le sucre. Incorporer l'œuf. Tamiser ensemble la farine et la poudre à pâte. Ajouter les amandes, mélanger, puis incorporer ces ingrédients au premier appareil. Pétrir délicatement la pâte jusqu'à ce qu'elle soit homogène.
- Façonner la pâte en petites boules de 2,5 cm (1 po) de diamètre. Les disposer sur la plaque; avec un dé à coudre fariné, imprimer un creux au centre de chaque boule. Faire cuire au four 10 minutes; enfoncer de nouveau le dé à coudre dans chaque empreinte. Prolonger la cuisson de 8 à 10 minutes, jusqu'à ce que les biscuits soient dorés.
- Déposer les biscuits sur une grille pour les laisser refroidir. Garnir le centre de chacun d'un peu de confiture. Les garder une nuit dans un contenant hermétique avant de les servir.

Surprises aux dattes

(environ 1½ douzaine)

175 ml	**dattes dénoyautées (environ 15)**	**¾ tasse**
30 ml	**amandes blanchies taillées**	**2 c. à s.**
175 ml	**beurre non salé**	**¾ tasse**
250 ml	**sucre**	**1 tasse**
1	**œuf**	**1**
0,5 ml	**extrait d'amandes**	**⅛ c. à t.**
250 ml	**farine tout usage**	**1 tasse**
250 ml	**farine de blé entier**	**1 tasse**
	sucre cristallisé	

- Préchauffer le four à 190 °C (375 °F). Graisser et fariner une plaque à biscuits.
- Farcir chaque datte de 2 morceaux d'amande. Les couper en 2 sur la largeur; réserver.
- Dans un grand bol, battre en crème le beurre et le sucre. Incorporer l'œuf et l'extrait d'amandes. Ajouter peu à peu les farines et mélanger; travailler avec les mains pour obtenir une pâte homogène. Sur un plan de travail fariné, pétrir la pâte.
- Façonner la pâte en petites boules de la taille d'une noix de Grenoble, puis les aplatir. Déposer sur chacune une moitié de datte et reformer la boule. Enrober de sucre cristallisé.
- Disposer les boules sur la plaque et les faire cuire au four de 10 à 12 minutes, jusqu'à ce qu'elles soient fermes et dorées. Les déposer sur une grille et les laisser refroidir.

Farcir chaque datte de 2 morceaux d'amande. Les couper en 2 sur la largeur.

Façonner la pâte en petites boules de la taille d'une noix de Grenoble, puis les aplatir.

Déposer sur chacune une moitié de datte et reformer la boule.

Biscuits à la gelée

(3 douzaines)

175 ml	**beurre non salé ou margarine**	**¾ tasse**
250 ml	**sucre**	**1 tasse**
5 ml	**extrait de vanille**	**1 c. à t.**
1	**œuf**	**1**
625 ml	**farine tout usage**	**2½ tasses**
10 ml	**poudre à pâte**	**2 c. à t.**
1	**pincée de sel**	**1**
125 ml	**lait**	**½ tasse**
	gelée de fruits au choix	
	sucre glace	

- Dans un grand bol, battre en crème le beurre et le sucre. Ajouter l'extrait de vanille et l'œuf; mélanger.
- Tamiser ensemble la farine, la poudre à pâte et le sel. Incorporer ces ingrédients au premier appareil en alternant avec le lait et en terminant par les ingrédients secs. Laisser reposer la pâte au réfrigérateur 1 heure.
- Préchauffer le four à 190 °C (375 °F). Graisser une plaque à biscuits.
- Abaisser la pâte et la détailler avec un emporte-pièce rond à bord dentelé. Avec un emporte-pièce rond plus petit, évider le centre de la moitié des ronds de pâte. Disposer sur la plaque et faire cuire au four environ 10 minutes. Déposer les biscuits sur une grille et les laisser refroidir.
- Napper les biscuits entiers de gelée de fruits et recouvrir chacun d'un biscuit troué. Saupoudrer de sucre glace.

Recette de l'Institut de tourisme et d'hôtellerie du Québec

Biscuits pour les jours de fête

À l'approche des jours de fête, beaucoup se réjouissent, car ils peuvent alors prévoir la préparation de biscuits de toutes sortes. Souvent, le simple choix des biscuits, de leurs formes et de leurs décorations est déjà une véritable fête en soi.

Transmises de génération en génération, bien des recettes font partie des traditions familiales et sont associées à des moments heureux. Il n'en tient qu'à vous de faire revivre ces traditions et peut-être même, d'en créer!

Rosettes

(1½ douzaine)

250 ml	**farine**	**1 tasse**
30 ml	**sucre**	**2 c. à s.**
1 ml	**sel**	**¼ c. à t.**
2	**œufs**	**2**
125 ml	**crème 35 %**	**½ tasse**
125 ml	**lait**	**½ tasse**
5 ml	**extrait de vanille**	**1 c. à t.**
	huile d'arachide, pour grande friture	
	sucre glace	

- Dans un bol de taille moyenne, bien mélanger la farine, le sucre et le sel. Incorporer les œufs, la crème, le lait et l'extrait de vanille pour obtenir une pâte homogène.
- Dans une grande casserole à fond épais ou dans une friteuse, faire chauffer de l'huile à 190 °C (375 °F). Préchauffer le moule à rosette dans l'huile, en suivant les instructions du fabricant.
- Tremper le moule chaud dans la pâte en prenant soin qu'elle ne couvre pas le dessus du moule; immerger le moule dans l'huile chaude de 30 à 45 secondes, jusqu'à ce que la rosette soit dorée. La détacher délicatement du moule avec une fourchette et la déposer sur une feuille de papier absorbant. Répéter l'opération avec le reste de la pâte. Lorsque les rosettes sont froides, les saupoudrer de sucre glace.

Étoiles de Noël

(environ 4 douzaines)

50 ml	**cassonade**	**¼ tasse**
125 ml	**sucre**	**½ tasse**
125 ml	**beurre non salé, ramolli**	**½ tasse**
50 ml	**graisse végétale**	**¼ tasse**
5 ml	**extrait de vanille**	**1 c. à t.**
2	**œufs**	**2**
675 ml	**farine tout usage**	**2¾ tasses**
5 ml	**poudre à pâte**	**1 c. à t.**
1 ml	**sel**	**¼ c. à t.**
50 ml	**sucre**	**¼ tasse**
2 ml	**cannelle moulue**	**½ c. à t.**

- Dans un grand bol, mélanger la cassonade, 125 ml (½ tasse) de sucre, le beurre, la graisse végétale, l'extrait de vanille et les œufs. Y incorporer la farine, la poudre à pâte et le sel. Couvrir la pâte et la laisser reposer au réfrigérateur au moins 1 heure.
- Préchauffer le four à 200 °C (400 °F).
- Abaisser la pâte à 3 mm (⅛ po) d'épaisseur; la détailler avec un emporte-pièce en forme d'étoile de 6 cm (2½ po). Entre deux branches de l'étoile, à partir du centre, pratiquer une fente de 6 mm (¼ po) de long. Disposer les étoiles sur une plaque non graissée.
- Mélanger le sucre et la cannelle; en saupoudrer les biscuits. Les faire cuire au four de 6 à 8 minutes, jusqu'à ce qu'ils soient dorés. Les laisser refroidir 1 minute, puis les déposer sur une grille et les laisser refroidir. Assembler les biscuits deux par deux, en les insérant l'un dans l'autre.

PETITS VALENTINS

(environ 2 douzaines)

75 ml	**graisse végétale**	**⅓ tasse**
175 ml	**sucre**	**¾ tasse**
1	**œuf**	**1**
15 ml	**jus de citron**	**1 c. à s.**
300 ml	**farine tout usage**	**1¼ tasse**
15 ml	**graisse végétale**	**1 c. à s.**
250 ml	**sucre glace**	**1 tasse**
10 à 15 ml	**lait**	**2 à 3 c. à t.**
125 ml	**confiture de framboises ou de fraises**	**½ tasse**

- Dans un grand bol, battre en crème 75 ml (⅓ tasse) de graisse végétale et 175 ml (¾ tasse) de sucre. Incorporer l'œuf et le jus de citron. Ajouter peu à peu la farine et bien mélanger. Laisser reposer la pâte au réfrigérateur, 2 heures, jusqu'à ce qu'elle soit ferme.
- Préchauffer le four à 190 °C (375 °F). Graisser une plaque à biscuits.
- Diviser la pâte en 2 portions. Sur un plan de travail fariné, abaisser chacune des portions aussi finement que possible. Avec deux empore-pièce en forme de cœur, de taille différente, détailler des cœurs et les disposer sur la plaque. Faire cuire au four de 8 à 10 minutes, jusqu'à ce que les biscuits commencent à durcir, sans brunir. Les déposer sur une grille et les laisser refroidir.
- Pour préparer le glaçage, battre en crème 15 ml (1 c. à s.) de graisse végétale et le sucre glace. Incorporer suffisamment de lait pour que la crème puisse s'étaler.
- Étaler le glaçage, puis la confiture sur les biscuits les plus grands. Recouvrir chacun d'un biscuit plus petit.

l'Amoureux

BISCOTTI AUX NOISETTES

(environ 3 douzaines)

3	**œufs**	**3**
125 ml	**huile de noisette (ou huile végétale)**	**½ tasse**
250 ml	**sucre**	**1 tasse**
125 ml	**noisettes hachées finement**	**½ tasse**
550 ml	**farine tout usage**	**2¼ tasses**
10 ml	**poudre à pâte**	**2 c. à t.**

- Préchauffer le four à 180 °C (350 °F). Graisser et fariner une plaque à biscuits.
- Dans un grand bol, battre les œufs avec l'huile; ajouter le sucre et continuer à battre environ 5 minutes, jusqu'à ce que l'appareil pâlisse et épaississe. Y incorporer les noisettes.
- Tamiser ensemble la farine et la poudre à pâte. Ajouter ces ingrédients au premier appareil; mélanger à la cuillère en bois ou avec les mains.
- Façonner la pâte en 2 rouleaux de 7,5 cm sur 25 cm (3 po sur 10 po), les disposer sur la plaque et, avec une spatule, bien en aplanir le dessus et les côtés. Les faire cuire au four de 25 à 30 minutes jusqu'à ce qu'ils soient dorés, puis les retirer. Baisser la température du four à 150 °C (300 °F). Laisser les rouleaux refroidir environ 10 minutes sur la plaque, puis, avec un couteau à dents de scie, les détailler en tranches de 1 cm (½ po) d'épaisseur.
- Disposer les biscotti à plat sur la plaque et prolonger la cuisson de 15 minutes, jusqu'à ce que leur surface soit sèche et croustillante. Les déposer sur une grille et les laisser refroidir. Conserver dans un contenant hermétique.

Avec une spatule, bien aplanir le dessus et les côtés des rouleaux.

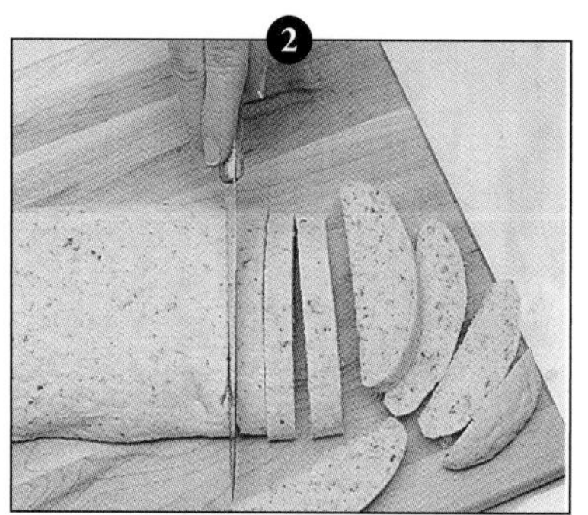

Sortir du four. Avec un couteau à dents de scie, détailler les rouleaux en tranches de 1 cm (½ po) d'épaisseur.

Disposer les biscotti à plat sur la plaque et prolonger la cuisson de 15 minutes.

Biscuits de Noël

(environ 2½ douzaines)

175 ml	**beurre non salé**	**¾ tasse**
125 ml	**sucre**	**½ tasse**
30 ml	**pâte d'amandes**	**2 c. à s.**
1	**œuf**	**1**
250 ml	**céréales de grains de riz écrasées**	**1 tasse**
375 ml	**farine tout usage**	**1½ tasse**
	colorants alimentaires rouge et vert	
	sucre cristallisé coloré	

- Préchauffer le four à 180 °C (350 °F). Graisser légèrement une plaque à biscuits.
- Dans un grand bol, battre en crème le beurre et le sucre. Ramollir la pâte d'amandes à la fourchette et l'incorporer au premier appareil. Ajouter tour à tour l'œuf, les céréales et la farine, en mélangeant bien après chaque addition.
- Diviser la pâte en 3 et ajouter du colorant rouge à l'une des portions, et du vert, à une autre. Sur un plan de travail bien fariné, pétrir chaque portion jusqu'à ce qu'elle soit élastique.
- Abaisser chaque portion de pâte à 6 mm (¼ po) d'épaisseur. Détailler la pâte avec divers emporte-pièce aux formes de Noël. Saupoudrer de sucre cristallisé coloré et disposer sur la plaque. Faire cuire au four de 8 à 10 minutes jusqu'à ce que les biscuits se raffermissent sans brunir. Les déposer sur une grille et les laisser refroidir.

ALLUMETTES MINIATURES GLACÉES AU KIRSCH

(2 douzaines)

150 ml	**sucre glace**	**⅔ tasse**
2	**blancs d'œufs**	**2**
5 ml	**kirsch**	**1 c. à t.**
2 ml	**jus de citron**	**½ c. à t.**
200 g	**pâte feuilletée**	**7 oz**

- Préchauffer le four à 200 °C (400 °F).
- Dans un bol, préparer une glace royale en mélangeant à la spatule le sucre glace, les blancs d'œufs, le kirsch et le jus de citron.
- Abaisser la pâte feuilletée en une bande de 15 cm sur 30 cm (6 po sur 12 po). Couvrir entièrement la pâte avec de la glace royale. Couper l'abaisse en 2 bandes de 7,5 cm sur 30 cm (3 po sur 12 po), puis détailler chacune en allumettes d'environ 2 cm (¾ po) de large.
- Déposer les allumettes sur une plaque non graissée et les faire cuire au four de 8 à 10 minutes. Les laisser refroidir avant de servir.

Recette de l'Institut de tourisme et d'hôtellerie du Québec

JOYAUX AU RHUM ET À LA NOIX DE COCO

(environ 3 douzaines)

250 ml	**farine tout usage**	**1 tasse**
250 ml	**flocons de maïs écrasés**	**1 tasse**
175 ml	**sucre**	**¾ tasse**
125 ml	**noix hachées**	**½ tasse**
125 ml	**noix de coco en flocons**	**½ tasse**
125 ml	**zestes d'agrumes confits, hachés**	**½ tasse**
2	**œufs**	**2**
15 ml	**rhum**	**1 c. à s.**
	noix de coco râpée	

- Préchauffer le four à 180 °C (350 °F). Graisser légèrement une plaque à biscuits.
- Dans un grand bol, mélanger la farine, les flocons de maïs, le sucre, les noix, 125 ml (½ tasse) de noix de coco et les zestes. Dans un autre bol, battre les œufs avec le rhum. Incorporer ce mélange aux ingrédients secs.
- Déposer la pâte à la cuillère dans la noix de coco râpée. Façonner des petites boules de 2,5 cm (1 po) de diamètre et les disposer sur la plaque. Faire cuire les boules au four de 10 à 12 minutes, jusqu'à ce qu'elles soient fermes, puis les déposer sur une grille et les laisser refroidir.

BISCUITS D'HALLOWEEN

(environ 6 douzaines)

175 ml	**sucre**	**¾ tasse**
125 ml	**beurre non salé, ramolli**	**½ tasse**
50 ml	**graisse végétale**	**¼ tasse**
5 ml	**extrait de vanille**	**1 c. à t.**
2	**œufs**	**2**
675 ml	**farine tout usage**	**2¾ tasses**
5 ml	**poudre à pâte**	**1 c. à t.**
1 ml	**sel**	**¼ c. à t.**
	bonbons de diverses couleurs	

- Dans un bol de taille moyenne, mélanger le sucre, le beurre, la graisse végétale, l'extrait de vanille et les œufs. Incorporer la farine, la poudre à pâte et le sel. Couvrir et laisser reposer au réfrigérateur au moins 1 heure.
- Préchauffer le four à 190 °C (375 °F). Tapisser une plaque à biscuits d'une feuille de papier d'aluminium.
- Sur un plan de travail fariné, abaisser la pâte à 3 mm (⅛ po) d'épaisseur. La détailler avec des emporte-pièce de formes diverses et déposer les formes de pâte sur la plaque. Y creuser des dessins, comme des yeux, une bouche, etc. et les garnir de bonbons entiers ou de morceaux de bonbon obtenus en déposant les bonbons entre deux feuilles de papier absorbant et en les frappant doucement. Comme les bonbons fondent rapidement, les morceaux doivent être assez gros.
- Faire cuire au four de 7 à 9 minutes, jusqu'à ce que les biscuits deviennent dorés et que les bonbons fondent. Laisser refroidir les biscuits sur la plaque, puis, avec une spatule, les détacher délicatement de la feuille d'aluminium.

MACARONS AU CHOCOLAT

(2 douzaines)

2	**blancs d'œufs**	**2**
250 ml	**sucre**	**1 tasse**
2 ml	**extrait d'amandes**	**½ c. à t.**
125 ml	**amandes finement moulues**	**½ tasse**
125 ml	**noix de coco râpée non sucrée**	**½ tasse**
50 ml	**poudre de cacao**	**¼ tasse**

- Préchauffer le four à 160 °C (325 °F). Graisser et fariner une plaque à biscuits.
- Dans un grand bol, battre en mousse les blancs d'œufs. Ajouter le sucre peu à peu et battre jusqu'à l'obtention d'une neige ferme. Incorporer l'extrait d'amandes.
- Mélanger les amandes, la noix de coco et la poudre de cacao; incorporer délicatement ces ingrédients au premier appareil.
- Déposer la pâte à la cuillère sur la plaque, à 2,5 cm (1 po) d'intervalle. Faire cuire au four de 12 à 15 minutes, jusqu'à ce que le dessus des macarons soit ferme. Les laisser refroidir quelques minutes sur la plaque, puis les déposer sur une grille et les laisser refroidir. Les conserver dans un contenant hermétique.

BISCUITS DE PÂQUES

(3 douzaines)

250 ml	**beurre non salé, ramolli**	**1 tasse**
250 ml	**cassonade**	**1 tasse**
1	**œuf**	**1**
5 ml	**extrait de vanille**	**1 c. à t.**
625 ml	**farine tout usage**	**2½ tasses**
5 ml	**poudre à pâte**	**1 c. à t.**
2	**carrés de chocolat à cuire mi-sucré, fondus**	**2**
	diverses décorations pour gâteau (perles arc-en-ciel, granules, dragées, mini-pépites, etc.)	
	sucre cristallisé coloré	
	glaçage	

- Dans un grand bol, battre le beurre et la cassonade jusqu'à l'obtention d'une crème légère et mousseuse. Y incorporer l'œuf et l'extrait de vanille. Mélanger la farine avec la poudre à pâte et les incorporer au premier appareil.
- Diviser la pâte en 2 et ajouter le chocolat fondu à l'une des portions. Couvrir et laisser reposer 1 heure, au réfrigérateur.
- Préchauffer le four à 180 °C (350 °F). Graisser et fariner une plaque à biscuits.
- Sur un plan de travail légèrement fariné, abaisser les portions de pâte à 6 mm (¼ po) d'épaisseur. Détailler avec des emporte-pièce de formes appropriées (lapins, œufs, fleurs, etc.). Disposer sur la plaque, à 2,5 cm (1 po) d'intervalle. Si désiré, saupoudrer quelques biscuits de granules de sucre avant la cuisson, ou encore, les décorer après.
- Faire cuire au four de 7 à 8 minutes, jusqu'à ce que les bords brunissent légèrement. Laisser refroidir avant de décorer.

SPIRALES AU FROMAGE À LA CRÈME, AUX FRAMBOISES ET AU CITRON

(environ 6 douzaines)

125 ml	**beurre non salé**	**½ tasse**
125 g	**fromage à la crème**	**4 oz**
250 ml	**sucre**	**1 tasse**
1	**œuf**	**1**
5 ml	**jus de citron**	**1 c. à t.**
15 ml	**zeste de citron haché**	**1 c. à s.**
550 ml	**farine tout usage**	**2¼ tasses**
2 ml	**bicarbonate de soude**	**½ c. à t.**
1	**blanc d'œuf**	**1**
250 ml	**confiture de framboises**	**1 tasse**

- Dans un grand bol, battre le beurre, le fromage et le sucre jusqu'à l'obtention d'une crème légère et mousseuse. Y incorporer l'œuf ainsi que le jus et le zeste de citron. Tamiser ensemble la farine et le bicarbonate de soude. Ajouter peu à peu ces ingrédients au premier appareil et bien mélanger. Laisser reposer la pâte au réfrigérateur, 1 heure.
- Préchauffer le four à 180 °C (350 °F). Graisser légèrement une plaque à biscuits.
- Diviser la pâte en 3 portions. Sur un plan de travail fariné, abaisser une portion en un rectangle de 23 cm sur 25 cm (9 po sur 10 po) et de 3 mm (⅛ po) d'épaisseur. Couper les bords pour les égaliser. Le badigeonner de confiture et le rouler avec précaution sur lui-même. Répéter l'opération avec le reste de la pâte et de la confiture.
- Détailler les rouleaux en tranches et les disposer sur la plaque, Faire cuire au four de 10 à 12 minutes, jusqu'à ce que les biscuits soient fermes. Les déposer sur une grille et les laisser refroidir.

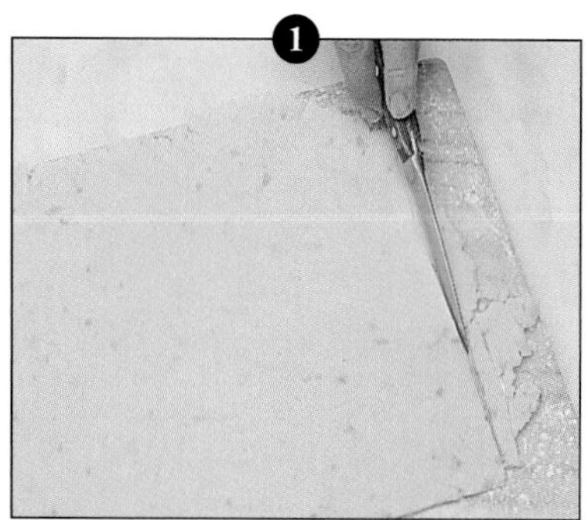

1 Abaisser une portion de pâte en un rectangle. Couper les bords pour les égaliser.

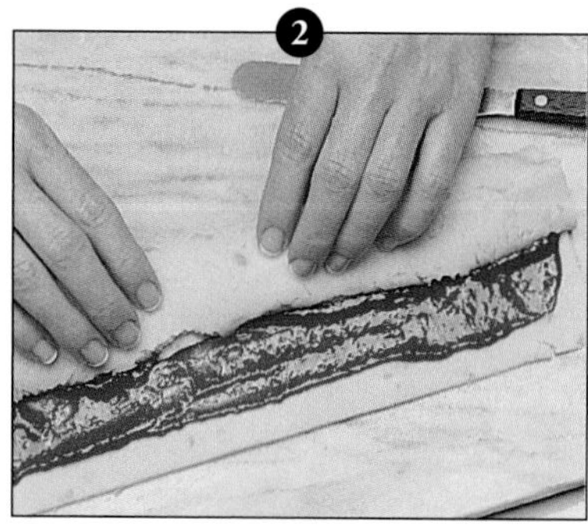

2 Le badigeonner de confiture et le rouler avec précaution sur lui-même.

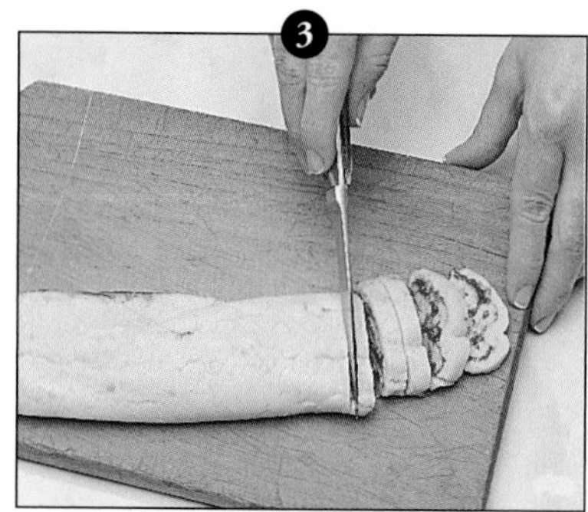

3 Détailler en tranches.

Bouchées croquantes des fêtes

(2 douzaines)

75 ml	**graisse végétale**	**⅓ tasse**
125 ml	**sucre**	**½ tasse**
1	**œuf**	**1**
2 ml	**extrait d'amandes**	**½ c. à t.**
175 ml	**farine tout usage**	**¾ tasse**
2 ml	**poudre à pâte**	**½ c. à t.**
175 ml	**pépites de chocolat mi-sucré**	**¾ tasse**
125 ml	**noix de coco râpée**	**½ tasse**
125 ml	**cerises au marasquin hachées**	**½ tasse**

- Préchauffer le four à 160 °C (325 °F). Graisser une plaque à biscuits.
- Dans un grand bol, battre en crème la graisse végétale et le sucre. Incorporer l'œuf, l'extrait d'amandes, la farine et la poudre à pâte. Ajouter les autres ingrédients et mélanger.
- Déposer la pâte à la cuillère sur la plaque et faire cuire au four de 15 à 17 minutes. Déposer les biscuits sur une grille et les laisser refroidir.

Recette de l'Institut de tourisme et d'hôtellerie du Québec

Boulettes moka au rhum

(environ 2½ douzaines)

500 ml	**biscuits au gingembre émiettés**	**2 tasses**
250 ml	**sucre glace**	**1 tasse**
125 ml	**noix de coco râpée**	**½ tasse**
125 ml	**noix de Grenoble hachées finement**	**½ tasse**
30 ml	**poudre de cacao**	**2 c. à s.**
5 ml	**café instantané en poudre**	**1 c. à t.**
15 ml	**eau bouillante**	**1 c. à s.**
30 ml	**sirop de maïs**	**2 c. à s.**
60 ml	**liqueur au rhum et à la noix de coco**	**4 c. à s.**
	sucre glace	
	poudre de cacao	

- Mélanger les biscuits émiettés avec 250 ml (1 tasse) de sucre glace, la noix de coco, les noix et 30 ml (2 c.à s.) de poudre de cacao.
- Dans une petite casserole, dissoudre le café dans l'eau bouillante. Y ajouter le sirop de maïs et faire chauffer doucement jusqu'à ce que le sirop soit bien incorporé. Du bout des doigts, incorporer ce mélange aux ingrédients secs. Ajouter la liqueur graduellement, jusqu'à ce que la pâte soit formée.
- Façonner la pâte en petites boules de 2,5 cm (1 po) de diamètre et les enrober de sucre glace ou de poudre de cacao.
- Laisser reposer dans un contenant hermétique jusqu'à ce que les saveurs se marient (au moins 1 jour, 1 semaine si possible). Au besoin, enrober de nouveau de sucre glace ou de poudre de cacao avant de servir.

BISCUITS AU CHOCOLAT ET AUX FRAMBOISES

(environ 4 douzaines)

1	**carré de chocolat à cuire non sucré**	**1**
125 ml	**beurre non salé**	**½ tasse**
125 ml	**graisse végétale**	**½ tasse**
250 ml	**sucre**	**1 tasse**
1	**œuf**	**1**
5 ml	**extrait de framboise**	**1 c. à t.**
5	**gouttes de colorant alimentaire rouge**	**5**
500 ml	**farine tout usage**	**2 tasses**
1	**blanc d'œuf**	**1**

- Faire fondre le chocolat au bain-marie. Laisser refroidir et réserver.
- Dans un grand bol, battre le beurre, la graisse végétale et le sucre jusqu'à l'obtention d'une crème légère et mousseuse. Y incorporer l'œuf, l'extrait de framboise et le colorant alimentaire. Ajouter peu à peu la farine et mélanger; au besoin, travailler la pâte avec les mains.
- Sur un plan de travail fariné, pétrir la pâte jusqu'à ce qu'elle soit homogène. La diviser en deux. Incorporer le chocolat fondu à l'une des portions. Envelopper la pâte dans du papier ciré et la laisser reposer au réfrigérateur, 4 heures.
- Façonner la pâte rose en un rouleau de 30 cm (12 po) de long. Abaisser la pâte au chocolat en un rectangle de 15 cm sur 30 cm (6 po sur 12 po).
- Badigeonner de blanc d'œuf légèrement battu le rectangle de pâte au chocolat. Y envelopper le rouleau de pâte rose, en badigeonnant les bords de blanc d'œuf pour les sceller. Envelopper dans du papier ciré et laisser reposer au réfrigérateur 2 heures.
- Préchauffer le four à 190 °C (375 °F). Détailler la pâte en tranches de 6 mm (¼ po) d'épaisseur et les disposer sur une plaque non graissée, à 2,5 cm (1 po) d'intervalle. Faire cuire au four de 8 à 10 minutes, jusqu'à ce que les biscuits soient fermes. Les déposer sur une grille et les laisser refroidir.

Palmiers miniatures

(3 douzaines)

200 g	**pâte feuilletée**	**7 oz**
75 ml	**sucre glace**	**⅓ tasse**

- Préchauffer le four à 200 °C (400 °F).
- Sur un plan de travail saupoudré de sucre glace, abaisser la pâte en une bande d'environ 20 cm sur 40 cm (8 po sur 16 po). Replier les deux côtés longs du rectangle vers le centre, saupoudrer de sucre glace, puis replier cette bande en 2 pour obtenir 4 épaisseurs.
- Laisser reposer la pâte 5 minutes au congélateur, puis la détailler en tranches de 6 mm (¼po) d'épaisseur. Les disposer à plat sur une plaque non graissée, en les espaçant bien.
- Faire cuire au four, 6 minutes d'un côté, 3 minutes de l'autre.
- Laisser refroidir avant de servir.

Recette de l'Institut de tourisme et d'hôtellerie du Québec

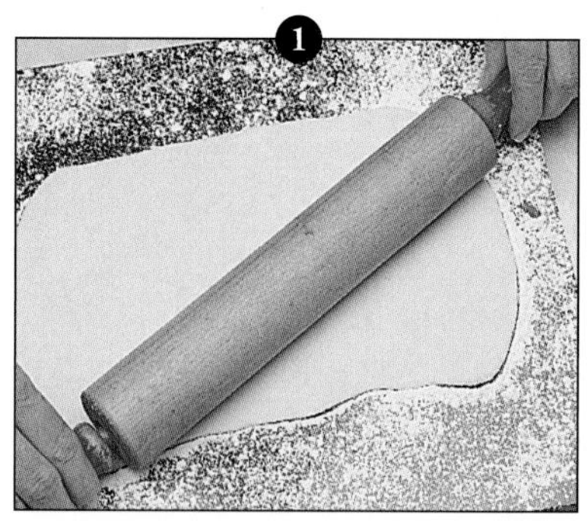

Abaisser la pâte en une bande d'environ 20 cm sur 40 cm (8 po sur 16 po).

Replier les deux côtés longs du rectangle vers le centre.

Replier cette bande en 2 pour obtenir 4 épaisseurs.

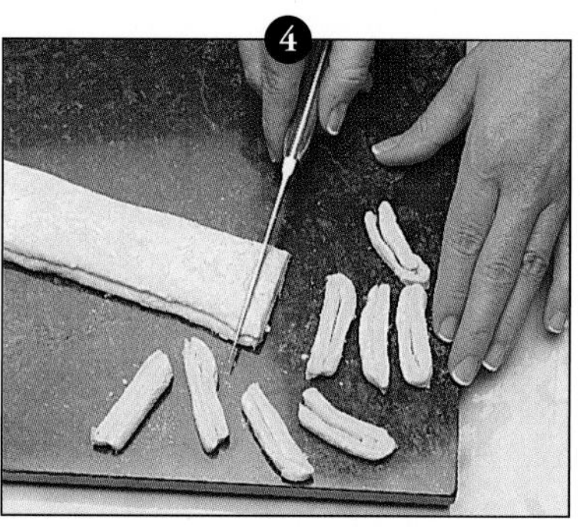

Détailler la pâte en tranches de 6 mm (¼ po) d'épaisseur.

DAMIERS AUX DEUX CHOCOLATS

(3½ douzaines)

50 ml	**graisse végétale**	**¼ tasse**
125 ml	**beurre non salé, ramolli**	**½ tasse**
250 ml	**sucre**	**1 tasse**
5 ml	**extrait de vanille**	**1 c. à t.**
1 ml	**sel**	**¼ c. à t.**
1	**œuf**	**1**
500 ml	**farine tout usage**	**2 tasses**
2	**carrés de chocolat à cuire non sucré, fondus, puis refroidis**	**2**
2	**carrés de chocolat à cuire blanc, fondus, puis refroidis**	**2**
1	**blanc d'œuf**	**1**
10 ml	**eau**	**2 c. à t.**

- Dans un grand bol, battre la graisse végétale, le beurre, le sucre, l'extrait de vanille et le sel jusqu'à l'obtention d'une crème légère et mousseuse. Y incorporer l'œuf. Ajouter la farine, ½ tasse à la fois, en mélangeant bien après chaque addition. Diviser la pâte en 2 et incorporer le chocolat non sucré à la première portion, le chocolat blanc, à l'autre portion. Envelopper chaque portion dans une pellicule de plastique et les laisser reposer 1 heure, au réfrigérateur.
- Battre le blanc d'œuf avec l'eau; réserver.
- Sur un plan de travail fariné, abaisser la pâte au chocolat blanc en un rectangle. Le détailler en 9 lanières de 1 cm sur 1 cm (½ po sur ½ po) d'épaisseur et de 13,5 cm (5½ po) de long. Répéter l'opération avec la pâte brune.
- Pour préparer le damier, sur une pellicule de plastique, disposer 3 lanières l'une contre l'autre, en alternant les pâtes claire et foncée. Badigeonner légèrement le dessus avec le mélange aux blancs d'œufs. Ajouter trois nouvelles lanières, en déposant une lanière claire sur une foncée et une foncée sur une claire. Badigeonner du mélange aux blancs d'œufs. Disposer une troisième couche de lanières, toujours en alternant les couleurs. Appuyer sur le dessus et sur les côtés du pain de pâte. Replier la pellicule plastique pour bien l'envelopper. Répéter l'opération avec les 9 lanières qui restent. Laisser reposer toute la nuit au réfrigérateur.
- Préchauffer le four à 160 °C (325 °F). Graisser légèrement 2 plaques à biscuits. Sortir un pain de pâte du réfrigérateur et le détailler en tranches de 6 mm (¼ po) d'épaisseur. Les disposer sur une plaque, à 2,5 cm (1 po) d'intervalle. Répéter l'opération avec le deuxième pain de pâte.
- Faire cuire au four 12 minutes, ou jusqu'à ce que la base des biscuits soit brun doré. Les déposer sur une grille et les laisser refroidir. Se conservent 1 semaine dans un contenant hermétique, à la température de la pièce. Peuvent aussi être congelés.

MERINGUES

(3 douzaines)

3	**blancs d'œufs**	**3**
1	**pincée de sel**	**1**
300 ml	**sucre super fin**	**1¼ tasse**
5 ml	**extrait de vanille**	**1 c. à t.**

- Préchauffer le four à 120 °C (250 °F). Graisser et fariner une plaque à biscuits.
- Dans un bol en cuivre ou en acier inoxydable, battre en neige ferme les blancs d'œufs avec le sel. Continuer à battre en incorporant peu à peu le sucre, puis la vanille.
- Déposer la meringue à la cuillère sur la plaque. Faire cuire au four 60 minutes.

BISCUITS DE TOUS LES COINS DU MONDE

Le monde cosmopolite dans lequel nous vivons nous permet de découvrir des spécialités provenant de tous les coins du globe.

De par leurs formes, leurs textures et leurs saveurs quelque peu exotiques, les biscuits de ce chapitre ne manqueront pas de vous séduire. Tandis que pour certains globe-trotters, ils évoqueront de merveilleux souvenirs, ils éveilleront, chez d'autres, le goût des voyages et de la découverte.

BISCOTTI AUX AMANDES

(environ 3 douzaines)

3	**œufs**	**3**
125 ml	**huile végétale**	**½ tasse**
250 ml	**sucre**	**1 tasse**
10 ml	**extrait d'amandes**	**2 c. à t.**
125 ml	**amandes hachées finement**	**½ tasse**
625 ml	**farine tout usage**	**2½ tasses**
10 ml	**poudre à pâte**	**2 c. à t.**

- Préchauffer le four à 180 °C (350 °F). Graisser et fariner une plaque à biscuits.
- Dans un grand bol, battre les œufs et l'huile. Ajouter le sucre et l'extrait d'amandes ; continuer à battre jusqu'à ce que le mélange épaississe et pâlisse (environ 5 minutes). Incorporer les amandes.
- Tamiser ensemble la farine et la poudre à pâte. Avec une cuillère en bois, ou avec les mains, incorporer ces ingrédients au premier appareil.
- Façonner la pâte en deux rouleaux d'environ 7,5 cm (3 po) de diamètre sur 25 cm (10 po) de long et les disposer sur les plaques. Avec une spatule mouillée, aplanir le dessus et les côtés des rouleaux. Les faire cuire au four de 25 à 30 minutes, jusqu'à ce qu'ils soient dorés, puis les retirer du four. Baisser la température du four à 150 °C (300 °F).
- Laisser reposer les rouleaux 10 minutes puis, avec un couteau à dents de scie, les détailler en tranches de 1 cm (½ po) d'épaisseur. Les disposer à plat sur la plaque à biscuits et prolonger la cuisson au four 20 minutes, jusqu'à ce que leur surface soit dorée et croustillante. Déposer les biscuits sur une grille et les laisser refroidir. Les conserver dans un contenant hermétique.

VARIANTE : BISCOTTI AU CITRON. *Pour le premier appareil, n'utiliser que 5 ml (1 c. à t.) d'extrait d'amandes et ajouter 15 ml (1 c. à s.) de zeste de citron râpé.*

BISCUITS ÉCOSSAIS AUX FLOCONS D'AVOINE

(environ 1½ douzaine)

1	**gros œuf**	**1**
125 ml	**sucre super fin**	**½ tasse**
15 ml	**beurre non salé, fondu**	**1 c. à s.**
2 ml	**extrait de vanille**	**½ c. à t.**
250 ml	**flocons d'avoine**	**1 tasse**
1	**pincée de sel**	**1**

- Préchauffer le four à 160 °C (325 °F). Graisser et fariner légèrement une plaque à biscuits.
- Dans un grand bol, battre l'œuf en mousse. Sans cesser de battre, y incorporer le sucre peu à peu, puis le reste des ingrédients.
- Déposer la pâte à la cuillère sur la plaque. Faire cuire les biscuits environ 15 minutes, selon leur taille, puis les déposer sur une grille et les laisser refroidir.

SABLÉS ÉCOSSAIS

(environ 2 douzaines)

250 ml	**beurre non salé, ramolli**	**1 tasse**
250 ml	**sucre super fin**	**1 tasse**
625 ml	**farine tout usage**	**2½ tasses**

- Préchauffer le four à 140 °C (275 °F).
- Dans un grand bol, battre le beurre en crème. Ajouter le sucre et bien mélanger avec une cuillère en bois. Incorporer la farine peu à peu.
- Pétrir la pâte sur un plan de travail. Lorsqu'elle ne colle plus, l'abaisser sur 6 mm (¼ po) d'épaisseur.
- Détailler la pâte à l'emporte-pièce. Disposer les biscuits sur une plaque non graissée et les piquer avec une fourchette.
- Les faire cuire au four de 45 à 50 minutes, selon leur taille, jusqu'à ce qu'ils soient légèrement dorés. Les déposer sur une grille et les laisser refroidir.

SPRINGERLE

(environ 4 douzaines)

3	**œufs**	**3**
425 ml	**sucre**	**1¾ tasse**
15 ml	**concentré de jus d'orange**	**1 c. à s.**
5 ml	**zeste d'orange râpé**	**1 c. à t.**
625 ml	**farine tout usage**	**2½ tasses**
2 ml	**poudre à pâte**	**½ c. à t.**
15 ml	**graines d'anis**	**1 c. à s.**

- Dans un grand bol, battre en crème épaisse les œufs et le sucre, pendant 6 à 8 minutes. Ajouter le concentré de jus d'orange et le zeste d'orange; mélanger.
- Tamiser ensemble la farine et la poudre à pâte. Incorporer peu à peu ces ingrédients au premier appareil et pétrir la pâte.
- Sur un plan de travail fariné, abaisser la moitié de la pâte à 6 mm (¼ po) d'épaisseur. Fariner un rouleau à pâtisserie sculpté et le passer sur la pâte en appuyant pour y incruster les motifs. Découper les biscuits le long des lignes de séparation des motifs et les disposer sur des plaques préalablement graissées et parsemées de graines d'anis. Répéter l'opération avec le reste de la pâte. Laisser reposer toute la nuit dans un endroit frais et sec.
- Préchauffer le four à 150 °C (300 °F). Faire cuire les biscuits au four jusqu'à ce que le dessus soit blanc mais croustillant et le dessous, doré. Les déposer sur une grille et les laisser refroidir. Les conserver pendant 1 semaine dans un contenant hermétique pour qu'ils ramollissent.

1. Fariner un rouleau à pâtisserie sculpté et le passer sur la pâte en appuyant pour y incruster les motifs.

2. Découper les biscuits le long des lignes de séparation des motifs.

3. Les disposer sur des plaques préalablement graissées et parsemées de graines d'anis.

BISCUITS CHINOIS

(environ 2 douzaines)

250 ml	**farine tout usage**	**1 tasse**
30 ml	**fécule de maïs**	**2 c. à s.**
125 ml	**sucre**	**½ tasse**
125 ml	**huile végétale**	**½ tasse**
10 ml	**eau**	**2 c. à t.**
2 ml	**extrait d'amandes**	**½ c. à t.**
4	**blancs d'œufs**	**4**
	colorants alimentaires rouge et jaune	

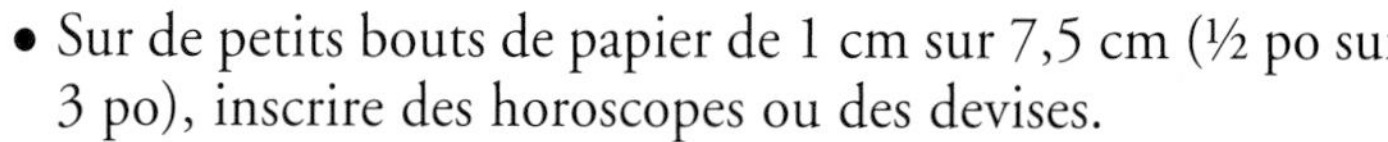

- Sur de petits bouts de papier de 1 cm sur 7,5 cm (½ po sur 3 po), inscrire des horoscopes ou des devises.
- Préchauffer le four à 190 °C (375 °F). Bien graisser 2 plaques à biscuits.
- Dans un grand bol, mélanger la farine, la fécule de maïs et le sucre. Y incorporer l'huile végétale, l'eau et l'extrait d'amandes. Ajouter tour à tour les blancs d'œufs, 1 goutte de colorant alimentaire rouge et 2 gouttes de jaune; bien mélanger après chaque addition.
- Déposer une grosse cuillerée de pâte sur la plaque. L'étaler en un rond de 7,5 cm (3 po) de diamètre. Faire cuire ce biscuit au four 4 minutes, pour que le dessus se raffermisse sans brunir.
- Déposer un des papiers au centre du biscuit et le détacher de la plaque avec une spatule. Rapidement et délicatement, le plier en demi-lune, puis le replier dans l'autre sens. Maintenir en position quelques secondes, jusqu'à ce qu'il refroidisse.
- Répéter l'opération avec le reste de la pâte, un biscuit à la fois. Ne jamais déposer la pâte sur une plaque encore chaude.
- Conserver les biscuits dans un contenant hermétique.

BISCUITS AUX AMANDES

(environ 2½ douzaines)

425 ml	**farine tout usage**	**1¾ tasse**
250 ml	**sucre**	**1 tasse**
5 ml	**poudre à pâte**	**1 c. à t.**
125 ml	**graisse végétale**	**½ tasse**
1	**œuf entier**	**1**
1	**œuf, le blanc séparé du jaune**	**1**
7 ml	**extrait d'amandes**	**1½ c. à t.**
5 ml	**eau**	**1 c. à t.**
75 ml	**amandes entières blanchies**	**⅓ tasse**

- Préchauffer le four à 180 °C (350 °F).
- Dans un bol, tamiser ensemble la farine, le sucre et la poudre à pâte. Y ajouter la graisse végétale et travailler jusqu'à ce que le mélange ait la consistance d'une chapelure grossière. Avec une cuillère en bois, incorporer l'œuf entier, le blanc d'œuf et l'extrait d'amandes. Le mélange devrait être très grumeleux.
- Renverser le mélange sur un plan de travail fariné et pétrir pour obtenir une pâte homogène et lustrée. En détacher des morceaux et les façonner en petites boules de 3 cm (1¼ po) de diamètre. Les disposer sur une plaque à biscuits non graissée, à 2,5 cm (1 po) d'intervalle, et les aplatir légèrement. Battre le jaune d'œuf avec l'eau, en badigeonner les boules de pâte, puis incruster une amande sur chacun.
- Faire cuire au four 15 minutes, ou jusqu'à ce que les biscuits soient dorés. Les déposer sur une grille et les laisser refroidir.

Vous êtes très apprécié !
Quand l'appétit va, tout va !

BISCUITS AUX GRAINES DE SÉSAME

(environ 4 douzaines)

250 ml	**graines de sésame**	**1 tasse**
2	**œufs**	**2**
125 ml	**sucre**	**½ tasse**
125 ml	**huile végétale**	**½ tasse**
10 ml	**jus de citron**	**2 c. à t.**
530 ml	**farine tout usage**	**2 tasses + 2 c. à s.**
	huile végétale	

- Préchauffer le four à 160 °C (325 °F).
- Dans une poêle non graissée, à feu doux, faire dorer les graines de sésame en remuant souvent.
- Dans un grand bol, battre les œufs, le sucre et l'huile jusqu'à ce que le mélange épaississe. Ajouter le jus de citron, puis la farine, en travaillant la pâte avec les mains au besoin.
- Façonner la pâte en une grosse boule. En détacher des morceaux de la taille d'une noix de Grenoble et, avec les mains enduites d'huile, les façonner en petites boules. Les enrober de graines de sésame.
- Disposer les boulettes sur une plaque à biscuits non graissée. Les faire cuire au four de 15 à 20 minutes, jusqu'à ce qu'elles soient dorées, puis les déposer sur une grille et les laisser refroidir.

KOURABIEDES

(environ 4 douzaines)

250 ml	**beurre non salé**	**1 tasse**
125 ml	**sucre**	**½ tasse**
1	**œuf**	**1**
2 ml	**extrait de vanille**	**½ c. à t.**
1 ml	**extrait d'amandes**	**¼ c. à t.**
2 ml	**quatre-épices**	**½ c. à t.**
2 ml	**cannelle moulue**	**½ c. à t.**
5 ml	**poudre à pâte**	**1 c. à t.**
500 ml	**farine tout usage**	**2 tasses**
175 ml	**amandes moulues**	**¾ tasse**
	sucre glace	

- Dans un grand bol, battre en crème le beurre et le sucre. Ajouter l'œuf, l'extrait de vanille, l'extrait d'amandes et les épices ; bien mélanger.
- Mélanger la poudre à pâte avec la farine et incorporer au premier appareil. Lorsque le mélange devient trop épais, se servir d'une cuillère en bois ou utiliser les mains. Pétrir jusqu'à ce que la pâte soit homogène. Laisser reposer au réfrigérateur 1 heure.
- Préchauffer le four à 180 °C (350 °F).
- Détacher des petits morceaux de pâte de la taille d'une noix de Grenoble, les façonner d'abord en petites boules, puis les rouler en bâtonnets. Les enrober d'amandes moulues et les incurver en forme de croissant. Disposer les croissants sur une plaque non graissée, les faire cuire au four environ 25 minutes, jusqu'à ce qu'ils soient fermes.
- Lorsqu'ils sont cuits, déposer les kourabiedes sur une grille, les laisser refroidir, puis les saupoudrer de sucre glace.

Pfeffernüsse

(environ 2½ douzaines)

50 ml	**graisse végétale**	**¼ tasse**
125 ml	**sucre**	**½ tasse**
2	**œufs**	**2**
5 ml	**zeste d'orange râpé**	**1 c. à t.**
125 ml	**amandes hachées finement**	**½ tasse**
125 ml	**fruits confits hachés**	**½ tasse**
500 ml	**farine tout usage**	**2 tasses**
2 ml	**poudre à pâte**	**½ c. à t.**
10 ml	**cannelle moulue**	**2 c. à t.**
2 ml	**cardamome moulue**	**½ c. à t.**
2 ml	**quatre-épices**	**½ c. à t.**
2 ml	**muscade râpée**	**½ c. à t.**
1	**pincée de poivre**	**1**

- Dans un grand bol, battre en crème la graisse végétale et le sucre. Ajouter les œufs et battre jusqu'à l'obtention d'un mélange léger et mousseux. Ajouter le zeste d'orange, les amandes et les fruits confits.
- Tamiser ensemble la farine, la poudre à pâte, les épices et le poivre. Incorporer peu à peu ces ingrédients au premier appareil, d'abord au batteur électrique ou avec une cuillère en bois, puis avec les mains. Laisser reposer au réfrigérateur 1 heure.
- Préchauffer le four à 180 °C (350 °F). Graisser une plaque à biscuits.
- Façonner la pâte en petites boules de 2,5 cm (1 po) de diamètre, les disposer sur la plaque et les faire cuire au four de 15 à 20 minutes, jusqu'à ce qu'elles soient fermes. Pendant qu'elles sont encore chaudes, les enrober de sucre glace tamisé, si désiré. Laisser bien refroidir et conserver dans un contenant hermétique.

BISCUITS À L'ÉRABLE

(environ 4 douzaines)

125 ml	**beurre non salé**	**½ tasse**
175 ml	**sirop d'érable**	**¾ tasse**
1	**œuf**	**1**
550 ml	**farine tout usage**	**2¼ tasses**

GLAÇAGE

15 ml	**beurre non salé**	**1 c. à s.**
250 ml	**sucre glace tamisé**	**1 tasse**
2 ml	**essence d'érable**	**½ c. à t.**
45 à 60 ml	**crème 35 %**	**3 à 4 c. à s.**

- Battre le beurre en crème. Y incorporer peu à peu le sirop d'érable et l'œuf. Ajouter la farine et mélanger délicatement. Laisser reposer au réfrigérateur 1 heure.
- Préchauffer le four à 180 °C (350 °F). Graisser légèrement une plaque à biscuits.
- Sur un plan de travail bien fariné, abaisser la pâte à 6 mm (¼ po) d'épaisseur. La détailler avec un emporte-pièce en forme de feuille d'érable, et la disposer sur la plaque. Faire cuire au four de 8 à 10 minutes, jusqu'à ce que les biscuits soient dorés, puis les déposer sur une grille et les laisser refroidir.
- Pour préparer le glaçage, battre en crème le beurre et le sucre. Ajouter l'essence d'érable, puis la crème, 1 cuillerée à la fois, jusqu'à l'obtention de la consistance désirée.
- Tartiner la moitié des biscuits de glaçage, puis recouvrir chacun d'un autre biscuit.

Sur un plan de travail bien fariné, abaisser la pâte à 6 mm (¼ po) d'épaisseur.

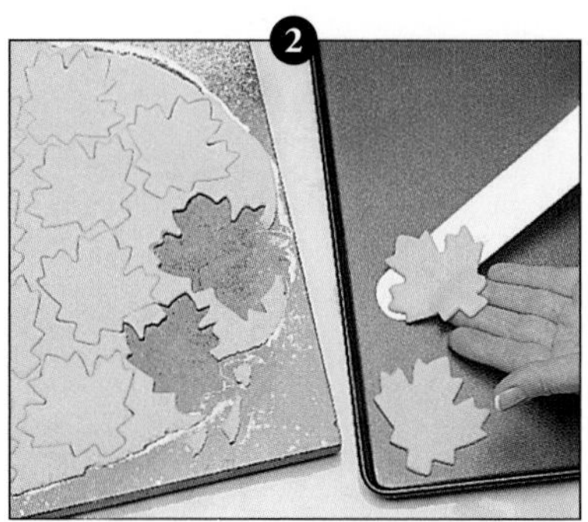

La détailler avec un emporte-pièce en forme de feuille d'érable, et la disposer sur une plaque à biscuits.

Préparer le glaçage.

Tartiner la moitié des biscuits de glaçage, puis recouvrir chacun d'un autre biscuit.

Boudoirs

(environ 2½ douzaines)

3	**œufs, les blancs séparés des jaunes**	**3**
75 ml	**sucre**	**5 c. à s.**
2 ml	**concentré de jus d'orange**	**½ c. à t.**
125 ml	**farine tout usage**	**½ tasse**
	sucre glace	

- Préchauffer le four à 180 °C (350 °F). Graisser et fariner une plaque à biscuits.
- Dans un bol, battre en mousse les blancs d'œufs. Ajouter 30 ml (2 c. à s.) de sucre, en deux fois; battre jusqu'à la formation de pics fermes et lustrés.
- Dans un autre bol, battre les jaunes d'œufs avec 45 ml (3 c. à s.) de sucre pendant 5 minutes, jusqu'à ce que le mélange épaississe et pâlisse. Ajouter le concentré de jus d'orange.
- Ajouter la moitié de la farine aux jaunes d'œufs et mélanger délicatement. Incorporer un peu de ce mélange aux blancs d'œufs, puis incorporer aux jaunes d'œufs tout l'appareil aux blancs d'œufs. Incorporer le reste de la farine.
- Sur la plaque, avec une poche à douille de 2 cm (¾ po) de diamètre, disposer des bandes de pâte de 10 cm (4 po) de long, à 2,5 cm (1 po) d'intervalle. Les saupoudrer du sucre glace. Faire cuire au four de 10 à 12 minutes, jusqu'à ce que les boudoirs soient fermes et légèrement dorés.
- Déposer les boudoirs sur une grille et les laisser refroidir. Les conserver dans un contenant hermétique.

PETITS FOURS À L'ABRICOT

(environ 3 douzaines)

2	carrés de chocolat à cuire non sucré	2
75 ml	graisse végétale	⅓ tasse
175 ml	sucre	¾ tasse
1	œuf	1
15 ml	café	1 c. à s.
375 ml	farine tout usage	1½ tasse
250 ml	confiture d'abricots	1 tasse
375 ml	crème 35 %	1½ tasse
1 ml	extrait de vanille	¼ c. à t.
	poudre de cacao	

- Préchauffer le four à 180 °C (350 °F). Graisser légèrement une plaque à biscuits.
- Faire fondre le chocolat au bain-marie. Laisser refroidir et réserver.
- Dans un grand bol, battre en crème la graisse et le sucre. Incorporer tour à tour l'œuf, le café et le chocolat fondu. Ajouter peu à peu la farine; pétrir la pâte jusqu'à ce qu'elle soit homogène.
- Sur un plan de travail fariné, abaisser la pâte à 6 mm (¼ po) d'épaisseur. Y détailler des ronds de 5 cm (2 po) de diamètre et les disposer sur la plaque. Faire cuire au four de 8 à 10 minutes, jusqu'à ce que les biscuits soient fermes; les déposer sur une grille et les laisser refroidir.
- Pour servir, napper chaque biscuit de confiture d'abricots. Fouetter la crème avec l'extrait de vanille jusqu'à ce qu'elle double de volume. En déposer une bonne cuillerée sur chaque biscuit et saupoudrer de poudre de cacao.

LEBKUCHEN

(environ 3 douzaines)

125 ml	**mélasse**	**½ tasse**
125 ml	**miel**	**½ tasse**
250 ml	**cassonade**	**1 tasse**
30 ml	**graisse végétale**	**2 c. à s.**
30 ml	**eau**	**2 c. à s.**
125 ml	**noix de Grenoble hachées finement**	**½ tasse**
50 ml	**zestes d'agrumes confits, hachés**	**¼ tasse**
750 ml	**farine tout usage**	**3 tasses**
2 ml	**bicarbonate de soude**	**½ c. à t.**
5 ml	**cannelle moulue**	**1 c. à t.**
2 ml	**clous de girofle moulus**	**½ c. à t.**
1 ml	**gingembre moulu**	**¼ c. à t.**
1 ml	**muscade râpée**	**¼ c. à t.**

GLACE AU CITRON

125 ml	**sucre glace tamisé**	**½ tasse**
10 ml	**eau chaude**	**2 c. à t.**
5 ml	**jus de citron**	**1 c. à t.**

- Préchauffer le four à 160 °C (325 °F). Graisser des plaques à biscuits.
- Dans une grande casserole, mélanger la mélasse, le miel, la cassonade, la graisse végétale et l'eau. À feu doux, amener à ébullition en remuant sans arrêt. Retirer du feu, incorporer les noix et les zestes confits; laisser refroidir.
- Tamiser ensemble la farine, le bicarbonate de soude et les épices. Incorporer peu à peu ces ingrédients secs au premier appareil.
- Sur un plan de travail fariné, pétrir la pâte; au besoin, ajouter de la farine pour l'empêcher de coller.
- Abaisser la pâte à 6 mm (¼ po) d'épaisseur. La détailler en rectangles de 2,5 cm sur 7,5 cm (1 po sur 3 po); les disposer sur les plaques. Faire cuire au four de 18 à 20 minutes, jusqu'à ce que les biscuits soient fermes, puis les déposer sur une grille et les laisser refroidir.
- Pour préparer la glace, bien mélanger le sucre glace, l'eau et le jus de citron.
- Avec un pinceau à pâtisserie, badigeonner de glace les biscuits chauds, laisser durcir. Les conserver pendant 1 semaine dans un contenant hermétique avec un zeste d'orange pour qu'ils ramollissent.

MADELEINES

(1½ douzaine)

150 ml	**beurre non salé**	**⅔ tasse**
3	**œufs**	**3**
250 ml	**sucre glace**	**1 tasse**
10 ml	**zeste de citron râpé**	**2 c. à t.**
250 ml	**farine à pâtisserie tamisée**	**1 tasse**
2 ml	**poudre à pâte**	**½ c. à t.**
	sucre	

- Préchauffer le four à 190 °C (375 °F). Graisser et fariner des moules à madeleines.
- Dans une petite casserole, faire fondre le beurre; réserver.
- Dans un grand bol, battre les œufs tout en y ajoutant peu à peu le sucre glace. Battre pendant 15 minutes, jusqu'à l'obtention d'un mélange épais et pâle. Ajouter le zeste de citron.
- Tamiser ensemble la farine et la poudre à pâte. Incorporer délicatement ces ingrédients au premier appareil. Ajouter le beurre fondu et bien mélanger.
- Répartir la pâte entre les moules à madeleines en les remplissant aux deux tiers. Faire cuire au four de 10 à 12 minutes, jusqu'à ce que les bords deviennent dorés et qu'un cure-dent inséré au centre en ressorte sec.
- Démouler les madeleines et les déposer sur une grille; les saupoudrer de sucre et les laisser refroidir.

FLORENTINES

(environ 2½ douzaines)

125 ml	**crème 35 %**	**½ tasse**
125 ml	**sucre**	**½ tasse**
50 ml	**amandes blanchies taillées**	**¼ tasse**
50 ml	**amandes blanchies hachées finement**	**¼ tasse**
250 ml	**zestes d'agrumes confits, hachés finement**	**1 tasse**
75 ml	**farine tout usage**	**⅓ tasse**
6	**carrés de chocolat à cuire mi-sucré, fondus**	**6**

- Préchauffer le four à 180 °C (350 °F). Bien graisser une plaque à biscuits.
- Dans un bol, bien mélanger la crème et le sucre. Incorporer les amandes. Dans un autre bol, mélanger les zestes d'agrumes confits avec la farine pour bien les enrober. Incorporer au premier appareil.
- Sur la plaque, déposer la pâte à la cuillère, à 7,5 cm (3 po) d'intervalle. Ne préparer que 6 biscuits à la fois. Avec le dos d'une cuillère, étaler la pâte le plus possible.
- Faire cuire au four de 10 à 12 minutes, jusqu'à ce que les bords soient dorés. Laisser refroidir les biscuits 30 secondes, puis les déposer, à l'envers, sur une autre plaque et les laisser refroidir. Si les biscuits sont difficiles à décoller de la plaque, les remettre au four pendant 30 secondes pour qu'ils ramollissent. Répéter l'opération avec le reste de la pâte.
- Lorsque les biscuits sont froids, avec un pinceau à pâtisserie, étaler le chocolat fondu dessus. Laisser durcir, puis les conserver dans un contenant hermétique.

AMARETTI

(environ 1½ douzaine)

2	**blancs d'œufs**	**2**
125 ml	**sucre**	**½ tasse**
15 ml	**amaretto**	**1 c. à s.**
1 ml	**extrait d'amandes**	**¼ c. à t.**
1 ml	**poudre à pâte**	**¼ c. à t.**
250 ml	**amandes finement moulues**	**1 tasse**

- Préchauffer le four à 150 °C (300 °F). Graisser et fariner une plaque à biscuits.
- Dans un grand bol, battre les blancs d'œufs en mousse. Ajouter le sucre peu à peu et continuer à battre pour obtenir une neige ferme. Y incorporer délicatement l'amaretto, l'extrait d'amandes, la poudre à pâte, puis les amandes moulus.
- Déposer l'appareil par 30 ml (2 c. à s.) sur la plaque, à 5 cm (2 po) d'intervalle. Faire cuire les amaretti au four de 25 à 30 minutes, jusqu'à ce qu'ils brunissent légèrement. Éteindre le four et les laisser refroidir à l'intérieur. Conserver dans un contenant hermétique.

TUILES AUX NOISETTES

(2 douzaines)

250 ml	**noisettes hachées finement**	**1 tasse**
150 ml	**sucre**	**⅔ tasse**
45 ml	**farine tout usage**	**3 c. à s.**
15 ml	**fécule de maïs**	**1 c. à s.**
1	**pincée de sel**	**1**
45 ml	**beurre non salé, fondu**	**3 c. à s.**
15 ml	**armagnac**	**1 c. à s.**
3	**blancs de gros œufs**	**3**

- Dans un grand bol, mélanger les noisettes, le sucre, la farine, la fécule de maïs et le sel. Y incorporer le beurre et l'armagnac.
- Ajouter les blancs d'œufs un à un, en remuant après chaque addition. Laisser reposer la pâte au réfrigérateur au moins 3 heures.
- Préchauffer le four à 190 °C (375 °F). Graisser et fariner légèrement une plaque à biscuits.
- Déposer la pâte à la cuillère sur la plaque, à 5 cm (2 po) d'intervalle. Faire cuire les tuiles au four environ 8 minutes, selon leur taille. Ne pas les laisser trop cuire.
- Avec une spatule, les retirer rapidement de la plaque, les déposer aussitôt sur un rouleau à pâtisserie et les maintenir incurvées quelques secondes. Déposer les tuiles sur une grille et les laisser refroidir.

MANDELBROT

(environ 5 douzaines)

3	**œufs**	**3**
250 ml	**sucre**	**1 tasse**
175 ml	**huile végétale**	**¾ tasse**
5 ml	**extrait d'amandes**	**1 c. à t.**
5 ml	**extrait de citron**	**1 c. à t.**
15 ml	**zeste de citron râpé**	**1 c. à s.**
750 ml	**farine tout usage**	**3 tasses**
10 ml	**poudre à pâte**	**2 c. à t.**
125 ml	**noix de coco râpée**	**½ tasse**
125 ml	**amandes taillées**	**½ tasse**
12	**cerises au marasquin, hachées (facultatif)**	**12**

- Dans un grand bol, battre les œufs, le sucre et l'huile. Ajouter les extraits d'amandes et de citron, et le zeste de citron.
- Tamiser ensemble la farine et la poudre à pâte. Incorporer ces ingrédients au premier appareil. Ajouter la noix de coco, les amandes et les cerises; bien mélanger. Laisser reposer au réfrigérateur pendant 1 heure.
- Préchauffer le four à 190 °C (375 °F). Graisser légèrement une plaque à biscuits.
- Diviser la pâte en 4. Avec les mains humides, façonner chaque portion en un mince rouleau; les disposer sur la plaque. Faire cuire au four 20 minutes. Alors que les rouleaux sont encore chauds, les détailler en tranches de 2 cm (¾ po) d'épaisseur. Déposer les tranches à plat sur la plaque et poursuivre la cuisson au four 10 minutes, jusqu'à ce qu'elles soient dorées.
- Éteindre le four et laisser les biscuits y refroidir.

SPÉCULOS

(environ 3 douzaines)

625 ml	**farine tout usage**	**2½ tasses**
5 ml	**poudre à pâte**	**1 c. à t.**
5 ml	**cannelle moulue**	**1 c. à t.**
1 ml	**gingembre moulu**	**¼ c. à t.**
1 ml	**cardamome moulue**	**¼ c. à t.**
1 ml	**muscade râpée**	**¼ c. à t.**
1	**pincée de poivre blanc**	**1**
250 ml	**graisse végétale**	**1 tasse**
250 ml	**sucre**	**1 tasse**
1	**œuf**	**1**
30 ml	**lait**	**2 c. à s.**
5 ml	**jus de citron**	**1 c. à t.**

- Préchauffer le four à 180 °C (350 °F). Graisser légèrement une plaque à biscuits.
- Tamiser ensemble la farine, la poudre à pâte et les épices. Dans un grand bol, battre en crème la graisse végétale et le sucre. Ajouter tour à tour l'œuf, le lait et le jus de citron; bien mélanger après chaque addition. Incorporer les ingrédients secs pour obtenir une pâte homogène.
- Abaisser la pâte à 1 cm (½ po) d'épaisseur, puis la détailler avec un emporte-pièce en forme d'étoile.
- Faire cuire les spéculos au four de 15 à 20 minutes, jusqu'à ce qu'ils soient dorés, puis les déposer sur une grille et les laisser refroidir.

NOTE : *vous pouvez aussi utiliser un moule à spéculos. Presser la pâte dans le moule. Le cogner contre le plan de travail pour démouler la pâte, la déposer sur la plaque. Répéter l'opération avec le reste de la pâte et faire cuire.*

Abaisser la pâte.

La détailler avec un emporte-pièce en forme d'étoile.

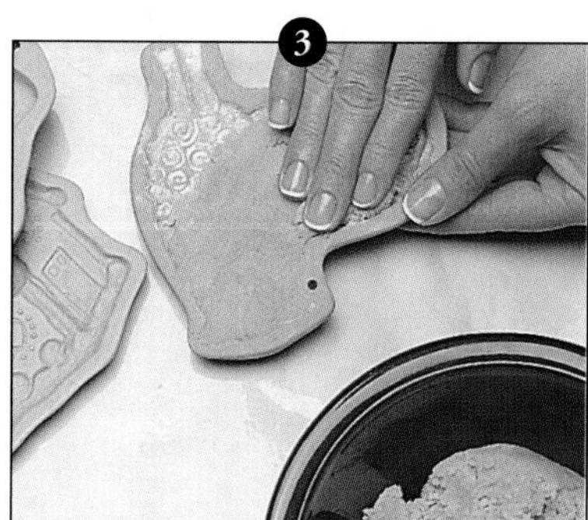

La presser dans le moule à spéculos.

Kichlach

(environ 2½ douzaines)

2	œufs	2
2	blancs d'œufs	2
250 ml	huile végétale	1 tasse
90 ml	sucre	6 c. à s.
2 ml	extrait d'amandes	½ c. à t.
500 ml	farine tout usage	2 tasses
	sucre cristallisé	

- Préchauffer le four à 150 °C (300 °F). Graisser et fariner 2 grandes plaques à biscuits.
- Dans un grand bol, battre en mousse les œufs et les blancs d'œufs. Sans cesser de battre, ajouter peu à peu l'huile, le sucre et l'extrait d'amandes. Continuer à battre pendant 4 minutes, jusqu'à ce que la préparation épaississe. Y incorporer la farine.
- Déposer la pâte à la cuillère sur les plaques, à 5 cm (2 po) d'intervalle. Saupoudrer généreusement de sucre cristallisé.
- Faire cuire au four de 25 à 28 minutes, jusqu'à ce que les biscuits soient dorés, puis les déposer sur une grille et les laisser refroidir. Les conserver dans un contenant hermétique.

BARRES ET CARRÉS

Les barres et les carrés sont toujours fort appréciés de tous. Faciles et rapides à préparer, leur réussite est assurée si la dimension du moule indiquée dans la recette est respectée. De plus, ces délicieuses bouchées, à mi-chemin entre le gâteau et le biscuit, se servent aussi bien à l'heure du thé que comme dessert ou comme goûter.

Qu'ils soient tendres et épais, minces et croustillants, il existe tant de variétés de barres et de carrés que petits et grands seront séduits et en redemanderont.

CARRÉS NANAÏMO

(16 carrés)

125 ml	**beurre non salé**	**½ tasse**
50 ml	**sucre**	**¼ tasse**
1	**œuf**	**1**
60 ml	**poudre de cacao**	**4 c. à s.**
500 ml	**chapelure de biscuits graham**	**2 tasses**
250 ml	**noix de coco râpée**	**1 tasse**
250 ml	**noix de Grenoble hachées**	**1 tasse**
50 ml	**beurre non salé**	**¼ tasse**
2 ml	**extrait de vanille**	**½ c. à t.**
1	**œuf**	**1**
625 ml	**sucre glace**	**2½ tasses**

GLAÇAGE

4	**carrés de chocolat à cuire mi-sucré, hachés**	**4**
30 ml	**beurre non salé**	**2 c. à s.**
15 ml	**eau**	**1 c. à s.**

- Au bain-marie, faire fondre 125 ml (½ tasse) de beurre, le sucre, 1 œuf et la poudre de cacao; remuer sans arrêt pour obtenir un appareil homogène. Y incorporer la chapelure de biscuits graham, la noix de coco et les noix.
- Étaler la préparation dans un moule carré de 23 cm (9 po) de côté.
- Pour préparer la garniture, battre 50 ml (¼ tasse) de beurre en crème. Y incorporer l'extrait de vanille, 1 œuf et le sucre glace. Verser sur la base.
- Pour préparer le glaçage, faire fondre le chocolat à cuire. Y incorporer le beurre et l'eau. Étaler sur la garniture et laisser refroidir au réfrigérateur au moins 1 heure. Détailler en carrés.

CARRÉS AUX DATTES ET À L'ORANGE

(20 carrés)

125 ml	**beurre non salé, ramolli**	**½ tasse**
375 ml	**cassonade**	**1½ tasse**
375 ml	**farine tout usage**	**1½ tasse**
1 ml	**sel**	**¼ c. à t.**
5 ml	**poudre à pâte**	**1 c. à t.**
300 ml	**flocons d'avoine**	**1¼ tasse**
450 g	**dattes dénoyautées**	**1 lb**
1	**orange hachée**	**1**
375 ml	**eau**	**1½ tasse**

- Préchauffer le four à 180 °C (350 °F). Graisser un moule à gâteau carré.
- Dans un grand bol, battre en crème le beurre et 250 ml (1 tasse) de cassonade. Tamiser ensemble la farine, le sel et la poudre à pâte. Ajouter les flocons d'avoine; bien mélanger. Incorporer ces ingrédients secs au premier appareil et réserver.
- Dans une casserole, porter à ébullition les dattes, l'orange, l'eau et le reste de la cassonade. Faire cuire jusqu'à ce que le mélange épaississe. Retirer la casserole du feu et laisser refroidir.
- Dans le moule, bien tasser les deux tiers du mélange aux flocons d'avoine. Y étaler le mélange aux dattes. Recouvrir du reste du mélange aux flocons d'avoine et tasser.
- Faire cuire au four 25 minutes. Laisser refroidir, puis détailler en petits carrés.

BARRES AUX FRUITS CONFITS

(30 barres)

375 ml	**cassonade**	**1½ tasse**
75 ml	**huile végétale**	**⅓ tasse**
4	**blancs d'œufs**	**4**
300 ml	**farine tout usage**	**1¼ tasse**
1 ml	**sel**	**¼ c. à t.**
5 ml	**bicarbonate de soude**	**1 c. à t.**
625 ml	**céréales granola**	**2½ tasses**
300 ml	**fruits confits hachés**	**1¼ tasse**
10	**cerises confites en quartiers, pour garnir**	**10**

- Préchauffer le four à 180 °C (350 °F). Graisser une plaque à biscuits de 25 cm sur 30 cm (10 po sur 12 po).
- Dans un grand bol, bien mélanger la cassonade et l'huile. Ajouter les blancs d'œufs et battre jusqu'à ce que la préparation soit homogène. Mélanger la farine, le sel et le bicarbonate de soude. Incorporer ces ingrédients secs au premier appareil, puis les céréales granola et les fruits confits.
- Étaler uniformément la pâte sur la plaque. Faire cuire au four 20 minutes, ou jusqu'à ce que le centre soit cuit. Retirer alors la plaque du four et laisser refroidir un peu. Détailler le biscuit en petites barres, puis les déposer sur une grille pour les laisser refroidir. Garnir de quartiers de cerises confites, si désiré.

1

CARRÉS À LA NOIX DE COCO

(2 douzaines)

175 ml	**chapelure de biscuits graham au miel**	**¾ tasse**
45 ml	**graisse végétale ramollie**	**3 c. à s.**
2	**œufs**	**2**
125 ml	**sucre**	**½ tasse**
50 ml	**farine**	**¼ tasse**
550 ml	**noix de coco en longs filaments**	**2¼ tasses**
1	**goutte d'extrait de vanille**	**1**
250 ml	**ananas en dés, égouttés**	**1 tasse**
60 ml	**confiture d'abricots**	**4 c. à s.**

- Préchauffer le four à 150 °C (300 °F). Graisser un moule carré de 20 cm (8 po) de côté.
- Pour préparer la base du biscuit, mélanger la chapelure de biscuits graham avec la graisse végétale; réserver.
- Pour préparer la garniture, dans un grand bol, fouetter les œufs et le sucre. Y incorporer tour à tour, sans trop mélanger, la farine, la noix de coco, l'extrait de vanille et les dés d'ananas.
- Bien tasser le mélange à la chapelure au fond du moule. Verser dessus la garniture. Faire cuire au four environ 45 minutes. Laisser refroidir, napper de confiture d'abricots et détailler en carrés.

RECETTE DE L'INSTITUT DE TOURISME ET D'HÔTELLERIE DU QUÉBEC

FARFADETS AU CHOCOLAT

(2 douzaines)

125 ml	**beurre non salé**	**½ tasse**
250 ml	**cassonade**	**1 tasse**
2	**œufs**	**2**
250 ml	**farine tout usage**	**1 tasse**
30 ml	**poudre de cacao**	**2 c. à s.**
1 ml	**sel**	**¼ c. à t.**
175 ml	**noix de Grenoble en morceaux**	**¾ tasse**
5 ml	**extrait de vanille**	**1 c. à t.**
	noix de Grenoble coupées en 2	

GLAÇAGE

250 ml	**sucre glace**	**1 tasse**
15 ml	**poudre de cacao**	**1 c. à s.**
15 ml	**beurre fondu**	**1 c. à s.**
30 ml	**eau bouillante**	**2 c. à s.**
1 ml	**extrait de vanille**	**¼ c. à t.**

- Préchauffer le four à 160 °C (325 °F). Graisser un moule carré de 20 cm (8 po) de côté.
- Battre en crème le beurre et la cassonade. Incorporer les œufs un à un. Tamiser ensemble les ingrédients secs. Ajouter ces ingrédients, les noix et l'extrait de vanille au premier appareil; bien mélanger.
- Étaler la pâte dans le moule et faire cuire au four de 30 à 35 minutes. Démouler sur une grille et laisser refroidir.
- Pour préparer le glaçage, mélanger le sucre avec la poudre de cacao. Incorporer le beurre, l'eau bouillante et l'extrait de vanille.
- Napper le gâteau de glaçage, garnir de demi-noix de Grenoble et détailler en carrés.

RECETTE DE L'INSTITUT DE TOURISME ET D'HÔTELLERIE DU QUÉBEC

TROTTOIRS AUX FRAISES

(6 trottoirs)

450 g	**pâte brisée**	**1 lb**
1	**jaune d'œuf, battu**	**1**
1	**blanc d'œuf, battu**	**1**
500 ml	**fraises fraîches**	**2 tasses**
150 ml	**sucre**	**⅔ tasse**

- Préchauffer le four à 190 °C (375 °F). Graisser une plaque à biscuits.
- Abaisser les deux tiers de la pâte en un rectangle de 23 cm sur 28 cm (9 po sur 11 po) et la déposer sur la plaque. Avec le jaune d'œuf, badigeonner les bords de l'abaisse sur 2 cm (¾ po), puis les replier pour obtenir un rebord de 1 cm (½ po). Badigeonner l'abaisse avec du blanc d'œuf et la piquer à la fourchette.
- Faire cuire au four 8 minutes. Sortir la pâte et baisser la température du four à 180 °C (350 °F).
- Laver les fraises, les équeuter et les émincer. Les saupoudrer de sucre, puis les disposer sur la pâte. Abaisser le reste de la pâte et la détailler en lanières de 0,5 cm (¼ po) de large. Les disposer en croisillons sur les fraises; badigeonner les extrémités de jaune d'œuf pour mieux les faire adhérer au rebord de l'abaisse.
- Faire cuire au four de 20 à 25 minutes. Détailler en carrés. Servir chauds ou froids.

VARIANTE : *remplacer les fraises par 500 ml (2 tasses) de pommes épluchées et émincées.*

RECETTE DE L'INSTITUT DE TOURISME ET D'HÔTELLERIE DU QUÉBEC

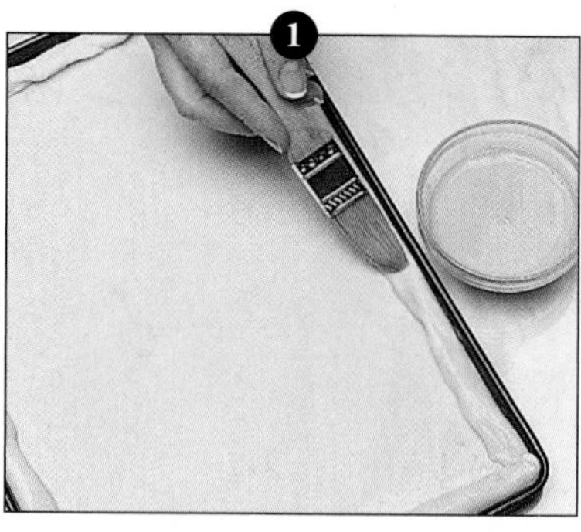

Avec le jaune d'œuf, badigeonner les bords de l'abaisse sur 2 cm (¾ po), puis les replier pour obtenir un rebord de 1 cm (½ po).

Badigeonner l'abaisse avec du blanc d'œuf et la piquer à la fourchette.

Disposer les fraises sur la pâte.

Détailler le reste de la pâte en lanières de 0,5 cm (¼ po) de large. Les disposer en croisillons sur les fraises.

BOUCHÉES MERINGUÉES AUX DATTES

(8 bouchées)

375 ml	**dattes dénoyautées**	**1½ tasse**
175 ml	**café ou eau**	**¾ tasse**
75 ml	**beurre non salé**	**⅓ tasse**
125 ml	**sucre**	**½ tasse**
2	**jaunes d'œufs**	**2**
5 ml	**extrait d'amandes**	**1 c. à t.**
15 ml	**liqueur d'amandes**	**1 c. à s.**
375 ml	**farine tout usage**	**1½ tasse**
5 ml	**poudre à pâte**	**1 c. à t.**
1 ml	**sel**	**¼ c. à t.**
125 ml	**lait**	**½ tasse**
2	**blancs d'œufs**	**2**
175 ml	**cassonade tamisée**	**¾ tasse**
125 ml	**amandes effilées, blanchies**	**½ tasse**

- Préchauffer le four à 180 °C (350 °F). Graisser et fariner un moule à gâteau de 15 cm sur 25 cm (6 po sur 10 po); tapisser le fond d'une feuille de papier ciré.
- Dans une casserole, à feu moyen, faire cuire les dattes avec le café, 10 minutes. Couvrir d'une pellicule de plastique et réserver.
- Dans un grand bol, battre en crème le beurre et le sucre. Incorporer les jaunes d'œufs, l'extrait et la liqueur d'amandes. Tamiser ensemble la farine, la poudre à pâte et le sel. Incorporer ces ingrédients au premier appareil en alternant avec le lait. Réserver.
- Battre les blancs d'œufs en neige ferme. Y incorporer peu à peu la cassonade pour obtenir une meringue bien ferme.
- Étaler la pâte dans le moule. Couvrir du mélange aux dattes et garnir de meringue. Parsemer d'amandes effilées. Faire cuire au four 30 minutes, puis détailler en carrés.

RECETTE DE L'INSTITUT DE TOURISME ET D'HÔTELLERIE DU QUÉBEC

BARRES MARBRÉES AU CARAMEL AU BEURRE

(12 carrés)

250 ml	**beurre non salé, ramolli**	**1 tasse**
300 ml	**cassonade**	**1¼ tasse**
1	**œuf**	**1**
550 ml	**farine tout usage**	**2¼ tasses**
1 ml	**sel**	**¼ c. à t.**
250 ml	**pacanes hachées**	**1 tasse**
125 ml	**pépites de chocolat**	**½ tasse**
2	**carrés de chocolat blanc à cuire**	**2**
2	**carrés de chocolat mi-sucré à cuire**	**2**

- Préchauffer le four à 180 °C (350 °F). Graisser et fariner légèrement un moule à gâteau.
- Dans un grand bol, battre le beurre et la cassonade jusqu'à l'obtention d'une crème légère et mousseuse. Y incorporer l'œuf. Tamiser ensemble la farine et le sel, puis les incorporer au premier appareil. Ajouter les pacanes et les pépites de chocolat; bien mélanger.
- Verser la pâte dans le moule et faire cuire au four 35 minutes. Sortir du four.
- Faire fondre séparément les carrés de chocolat blanc et de chocolat mi-sucré. Déposer de grosses cuillerées de chaque chocolat fondu sur le gâteau et, à l'aide d'un couteau, marbrer les deux chocolats. Détailler en petits carrés, les déposer sur une grille et les laisser refroidir.

BÂTONNETS AUX FRAISES ET AUX NOIX

(3 douzaines)

175 ml	**graisse végétale**	**¾ tasse**
75 ml	**beurre non salé**	**⅓ tasse**
325 ml	**sucre**	**1⅓ tasse**
3	**œufs, battus**	**3**
10 ml	**zeste d'orange râpé**	**2 c. à t.**
750 ml	**farine tout usage**	**3 tasses**
4 ml	**bicarbonate de soude**	**¾ c. à t.**
375 ml	**confiture de fraises**	**1½ tasse**
175 ml	**noix de Grenoble hachées**	**¾ tasse**

- Préchauffer le four à 190 °C (375 °F).
- Dans un bol, battre en crème la graisse végétale, le beurre et le sucre. Ajouter les œufs et le zeste d'orange; mélanger. Tamiser ensemble la farine et le bicarbonate de soude, puis les incorporer au premier appareil.
- Verser la pâte dans un moule rectangulaire de 20 cm sur 30 cm (8 po sur 12 po). Faire cuire au four environ 20 minutes, ou jusqu'à ce qu'un cure-dent, inséré au centre, en ressorte sec. Napper le gâteau de confiture de fraises et laisser refroidir. Parsemer de noix, puis détailler en bâtonnets de 7,5 cm sur 2,5 cm (3 po sur 1 po).

Recette de l'Institut de tourisme et d'hôtellerie du Québec

CARRÉS AUX ARACHIDES ET AUX RAISINS SECS

(2 douzaines)

375 ml	**arachides**	**1½ tasse**
375 ml	**flocons d'avoine**	**1½ tasse**
750 ml	**raisins secs**	**3 tasses**
175 ml	**beurre d'arachide**	**¾ tasse**
	noix de coco râpée, grillée, au goût (facultatif)	

- Au robot culinaire, broyer les arachides. Y incorporer les flocons d'avoine. Ajouter les raisins secs et le beurre d'arachide; mélanger jusqu'à l'obtention d'une pâte.
- Verser la pâte dans un moule rectangulaire de 33 cm sur 23 cm (13 po sur 9 po). Si désiré, parsemer de noix de coco râpée. Couvrir et laisser reposer au réfrigérateur pendant 1 heure. Détailler en carrés de 5 cm (2 po) de côté.

RECETTE DE L'INSTITUT DE TOURISME ET D'HÔTELLERIE DU QUÉBEC

TRIANGLES À L'AVOINE ET AU CHOCOLAT

(18 triangles)

125 ml	**lait**	**½ tasse**
125 ml	**beurre non salé**	**½ tasse**
75 ml	**poudre de cacao**	**⅓ tasse**
500 ml	**sucre**	**2 tasses**
750 ml	**flocons d'avoine**	**3 tasses**
375 ml	**noix de coco râpée**	**1½ tasse**

- Dans une casserole, mélanger au fouet le lait, le beurre, la poudre de cacao et le sucre. Porter à ébullition, retirer du feu, puis incorporer les flocons d'avoine et la noix de coco.
- Graisser un moule carré de 23 cm (9 po) de côté et y verser la préparation. Laisser refroidir avant de détailler en triangles ou en carrés. Couvrir et garder au réfrigérateur.

RECETTE DE L'INSTITUT DE TOURISME ET D'HÔTELLERIE DU QUÉBEC

Barres granola au beurre d'arachide

(2 douzaines)

75 ml	**beurre non salé, fondu**	**⅓ tasse**
125 ml	**cassonade bien tassée**	**½ tasse**
75 ml	**beurre d'arachide**	**⅓ tasse**
1	**œuf, battu**	**1**
2 ml	**extrait de vanille**	**½ c. à t.**
125 ml	**noix de coco en flocons**	**½ tasse**
1 litre	**céréales de blé entier, son, fruits et fibres**	**4 tasses**
	fraises coupées en 2	

- Préchauffer le four à 150 °C (300 °F). Graisser un moule à gâteau.
- Dans un grand bol, mélanger le beurre, la cassonade, le beurre d'arachide, l'œuf et l'extrait de vanille. Incorporer délicatement la noix de coco et les céréales.
- Verser l'appareil dans le moule et presser légèrement. Faire cuire au four 30 minutes. À la sortie du four, découper le biscuit en barres. Laisser refroidir, puis démouler. Garnir de fraises fraîches.

Recette de l'Institut de tourisme et d'hôtellerie du Québec

CARRÉS AU SON ET À LA BANANE

(6 douzaines)

250 ml	**farine tout usage**	**1 tasse**
250 ml	**son de blé**	**1 tasse**
50 ml	**sucre**	**¼ tasse**
7 ml	**poudre à pâte**	**1½ c. à t.**
2 ml	**bicarbonate de soude**	**½ c. à t.**
2 ml	**sel**	**½ c. à t.**
50 ml	**margarine**	**¼ tasse**
125 ml	**yogourt**	**½ tasse**
250 ml	**bananes écrasées**	**1 tasse**
50 ml	**lait**	**¼ tasse**
	tartinade aux noisettes	
	banane	

- Préchauffer le four à 180 °C (350 °F). Graisser un moule à gâteau carré de 23 cm (9 po) de côté.
- Dans un grand bol, mélanger les ingrédients secs. Y incorporer la margarine pour obtenir un mélange grumeleux. Dans un autre bol, mélanger le yogourt, les bananes écrasées et le lait. Ajouter au premier appareil et mélanger.
- Étaler la pâte dans le moule. Faire cuire au four environ 40 minutes. Laisser légèrement refroidir, puis napper de tartinade aux noisettes et garnir de demi-rondelles de banane. Détailler en carrés.

RECETTE DE L'INSTITUT DE TOURISME ET D'HÔTELLERIE DU QUÉBEC

CARRÉS AUX CANNEBERGES

(9 carrés)

1	**sac de canneberges de 340 g**	**1**
250 ml	**sucre**	**1 tasse**
125 ml	**raisins secs**	**½ tasse**
15 ml	**fécule de maïs**	**1 c. à s.**
30 ml	**eau froide**	**2 c. à s.**
250 ml	**farine**	**1 tasse**
7 ml	**bicarbonate de soude**	**1½ c. à t.**
1	**pincée de sel**	**1**
250 ml	**beurre non salé, froid**	**1 tasse**
250 ml	**cassonade**	**1 tasse**
500 ml	**flocons d'avoine**	**2 tasses**

- Préchauffer le four à 180 °C (350 °F).
- Dans une casserole, faire cuire les canneberges avec le sucre, jusqu'à ce qu'elles soient tendres (environ 5 minutes). Les réduire en purée au pilon et poursuivre la cuisson de 10 à 15 minutes. Ajouter les raisins secs et prolonger la cuisson 2 minutes. Délayer la fécule de maïs dans l'eau, l'ajouter à la purée et la laisser cuire jusqu'à ce qu'elle épaississe. Retirer du feu, couvrir d'une pellicule de plastique et laisser refroidir jusqu'à l'utilisation.
- Tamiser ensemble la farine, le bicarbonate de soude et le sel. Y mélanger le beurre jusqu'à ce que l'appareil soit grumeleux. Y incorporer la cassonade et les flocons d'avoine.
- Étaler la moitié de cette préparation dans un moule carré de 23 cm (9 po) de côté. Recouvrir uniformément de la purée aux canneberges, puis du reste du mélange aux flocons d'avoine.
- Faire cuire au four 30 minutes. Laisser légèrement refroidir avant de détailler en carrés.

RECETTE DE L'INSTITUT DE TOURISME ET D'HÔTELLERIE DU QUÉBEC

POINTES AU CHOCOLAT, AUX NOIX DE MACADAMIA ET AUX AMANDES

(16 pointes)

375 ml	**pépites de chocolat mi-sucré**	**1½ tasse**
250 ml	**beurre non salé**	**1 tasse**
425 ml	**cassonade**	**1¾ tasse**
4	**gros œufs**	**4**
5 ml	**extrait de vanille**	**1 c. à t.**
425 ml	**farine à pâtisserie**	**1¾ tasse**
1 ml	**sel**	**¼ c. à t.**
250 ml	**noix de macadamia**	**1 tasse**
250 ml	**amandes effilées**	**1 tasse**

- Préchauffer le four à 190 °C (375 °F). Graisser et fariner 2 moules à gâteaux ronds de 23 cm (9 po) de diamètre.
- Au bain-marie, faire fondre le chocolat à feu doux.
- Dans un grand bol, battre le beurre et la cassonade jusqu'à l'obtention d'un mélange mousseux. Y incorporer le chocolat fondu, puis les œufs et l'extrait de vanille.
- Tamiser ensemble la farine et le sel. Au premier appareil, ajouter tour à tour les ingrédients secs, les noix et les amandes; bien mélanger après chaque addition.
- Avec une spatule, répartir uniformément la pâte entre les 2 moules. Faire cuire au four de 30 à 40 minutes, jusqu'à ce qu'un cure-dent, inséré au centre, en ressorte sec.
- Sortir les gâteaux du four et les laisser refroidir. Saupoudrer de sucre glace et servir.

Incorporer le chocolat fondu à l'appareil au beurre.

Incorporer la farine tamisée avec le sel.

Incorporer les noix et les amandes.

Répartir uniformément la pâte entre les 2 moules.

MILK
PEAR
PEACH
GRAPE
ORANGE

Barres aux noix et au caramel au beurre

(12 barres)

250 ml	**beurre non salé, ramolli**	**1 tasse**
425 ml	**cassonade**	**1¾ tasse**
2	**gros œufs**	**2**
5 ml	**extrait de vanille**	**1 c. à t.**
550 ml	**farine tout usage**	**2¼ tasses**
300 ml	**pépites au caramel au beurre**	**1¼ tasse**
1	**carré de chocolat mi-sucré, fondu**	**1**

- Préchauffer le four à 180 °C (350 °F). Graisser et fariner légèrement 1 moule à gâteau rectangulaire de 5 cm (2 po) de profondeur.
- Dans un grand bol, battre en crème le beurre et la cassonade. Incorporer les œufs et l'extrait de vanille. Battre jusqu'à l'obtention d'un mélange mousseux.
- Tamiser la farine et l'incorporer au mélange. Ajouter les pépites au caramel au beurre et mélanger.
- Verser la pâte dans le moule et, avec une spatule, en lisser la surface. Faire cuire au four de 25 à 30 minutes, jusqu'à ce qu'un cure-dent, inséré au centre, en ressorte sec.
- Retirer du four et laisser refroidir. Détailler en petites barres et garnir de chocolat fondu.
- Laisser complètement refroidir dans le moule.

MUFFINS

Les muffins en surprennent plus d'un et font vite partie des petites douceurs de la vie qui s'adoptent facilement. Préparés en deux temps, trois mouvements, ils se servent aussi bien chauds que froids et se prêtent à bien des occasions. Beaucoup les dégustent le matin, au petit déjeuner, ou encore à l'heure du goûter.

S'il existe un secret pour les réussir, c'est sûrement de ne pas trop mélanger les ingrédients. Ils acquièrent ainsi une légèreté sans pareil et fondent dans la bouche.

MOUFLETS AUX BLEUETS DE MISTASSINI

(1 douzaine)

500 ml	**farine tout usage**	**2 tasses**
175 ml	**sucre**	**¾ tasse**
20 ml	**poudre à pâte**	**4 c. à t.**
2 ml	**sel**	**½ c. à t.**
1	**œuf**	**1**
175 ml	**lait**	**¾ tasse**
75 ml	**huile végétale**	**⅓ tasse**
250 ml	**bleuets frais**	**1 tasse**

- Préchauffer le four à 180 °C (350 °F). Graisser des moules à muffins.
- Dans un grand bol, tamiser les ingrédients secs. Dans un autre bol, battre l'œuf avec le lait, puis ajouter l'huile. Ajouter aux ingrédients secs et mélanger grossièrement jusqu'à ce que la pâte se détache facilement des parois du bol. Incorporer les bleuets.
- Répartir la pâte entre les moules à muffins en les remplissant aux trois quarts. Faire cuire au four de 18 à 20 minutes, ou jusqu'à ce qu'un cure-dent, inséré au centre, en ressorte sec. Démouler immédiatement.

RECETTE DE L'INSTITUT DE TOURISME ET D'HÔTELLERIE DU QUÉBEC

MUFFINS À LA BANANE, À L'ÉRABLE ET AUX NOIX

(1 douzaine)

500 ml	**farine de blé entier**	**2 tasses**
20 ml	**poudre à pâte**	**4 c. à t.**
175 ml	**sucre d'érable râpé**	**¾ tasse**
1	**pincée de sel**	**1**
125 ml	**huile végétale**	**½ tasse**
2	**œufs, battus**	**2**
2	**bananes, écrasées**	**2**
250 ml	**lait**	**1 tasse**
175 ml	**noix de Grenoble en morceaux**	**¾ tasse**

- Préchauffer le four à 180 °C (350 °F). Graisser des moules à muffins.
- Dans un grand bol, mélanger les ingrédients secs et l'huile. Avec une cuillère en bois, y incorporer les œufs, les bananes, le lait et les noix.
- Répartir la pâte entre les moules à muffins en les remplissant aux trois quarts. Faire cuire au four environ 15 minutes, ou jusqu'à ce qu'un cure-dent, inséré au centre, en ressorte sec.

RECETTE DE L'INSTITUT DE TOURISME ET D'HÔTELLERIE DU QUÉBEC

MUFFINS AUX DATTES ET À L'ORANGE

(1 douzaine)

250 ml	**dattes dénoyautées**	**1 tasse**
1	**orange non pelée**	**1**
125 ml	**farine tout usage**	**½ tasse**
75 ml	**beurre non salé**	**⅓ tasse**
175 ml	**sucre**	**¾ tasse**
2	**œufs**	**2**
125 ml	**jus d'orange**	**½ tasse**
175 ml	**farine de blé entier**	**¾ tasse**
250 ml	**farine tout usage**	**1 tasse**
10 ml	**poudre à pâte**	**2 c. à t.**
4 ml	**bicarbonate de soude**	**¾ c. à t.**
2 ml	**sel**	**½ c. à t.**

- Préchauffer le four à 200 °C (400 °F). Garnir des moules à muffins de moules en papier.
- Hacher grossièrement les dattes et l'orange, puis les mélanger avec 125 ml (½ tasse) de farine. Dans un grand bol, mélanger délicatement le beurre avec le sucre pour obtenir un appareil homogène sans qu'il ne mousse. Toujours en remuant, ajouter les œufs un à un, puis le jus d'orange. Incorporer les ingrédients secs, puis le mélange aux dattes.
- Répartir la pâte entre les moules à muffins, en les remplissant aux trois quarts. Faire cuire au four 15 minutes, ou jusqu'à ce qu'un cure-dent, inséré au centre, en ressorte sec. Démouler les muffins et les servir chauds ou froids.

Recette de l'Institut de tourisme et d'hôtellerie du Québec

Hacher grossièrement les dattes et l'orange, puis les mélanger avec 125 ml (½ tasse) de farine.

Ajouter les œufs un à un au mélange au beurre.

Incorporer les ingrédients secs, puis le mélange aux dattes.

MUFFINS AUX GRAINES DE PAVOT ET AUX CANNEBERGES

(1 douzaine)

625 ml	**farine à pâtisserie**	**2½ tasses**
5 ml	**sel**	**1 c. à t.**
10 ml	**poudre à pâte**	**2 c. à t.**
5 ml	**bicarbonate de soude**	**1 c. à t.**
75 ml	**sucre**	**⅓ tasse**
175 ml	**lait**	**¾ tasse**
2	**petits œufs**	**2**
60 ml	**beurre non salé, fondu**	**4 c. à s.**
300 ml	**canneberges séchées**	**1¼ tasse**
45 ml	**graines de pavot**	**3 c. à s.**

- Préchauffer le four à 200 °C (400 °F). Graisser des moules à muffins.
- Tamiser ensemble tous les ingrédients secs.
- Dans un grand bol, battre le lait, les œufs et le beurre fondu. Avec une cuillère en bois, incorporer grossièrement les ingrédients secs, puis les canneberges et les graines de pavot.
- Répartir la pâte entre les moules à muffins, en les remplissant aux trois quarts. Faire cuire au four de 20 à 25 minutes, ou jusqu'à ce qu'un cure-dent, inséré au centre, en ressorte sec.
- Démouler les muffins sur une grille et les laisser refroidir.

Muffins aux pommes

(1 douzaine)

300 ml	**farine tout usage**	**1¼ tasse**
175 ml	**cassonade**	**¾ tasse**
15 ml	**poudre à pâte**	**1 c. à s.**
2 ml	**sel**	**½ c. à t.**
5 ml	**cannelle**	**1 c. à t.**
2 ml	**muscade râpée**	**½ c. à t.**
175 ml	**germe de blé**	**¾ tasse**
2	**pommes pelées et râpées**	**2**
125 ml	**raisins secs**	**½ tasse**
2	**œufs**	**2**
125 ml	**lait**	**½ tasse**
45 ml	**huile de tournesol**	**3 c. à s.**

- Préchauffer le four à 190 °C (375 °F). Graisser des moules à muffins.
- Dans un grand bol, mélanger tous les ingrédients secs. Y ajouter les pommes râpées et les raisins secs.
- Dans un autre bol, battre les œufs, puis ajouter le lait et l'huile de tournesol. Incorporer ce mélange aux ingrédients secs.
- Répartir la pâte entre les moules à muffins en les remplissant aux deux tiers. Faire cuire au four de 20 à 30 minutes, ou jusqu'à ce que les muffins soient dorés et qu'un cure-dent, inséré au centre, en ressorte sec.
- Laisser légèrement refroidir avant de démouler. Garnir de glaçage, si désiré (voir p. 244).

Recette de l'Institut de tourisme et d'hôtellerie du Québec

MUFFINS AU FROMAGE CHEDDAR

(1 douzaine)

500 ml	**farine de blé entier**	**2 tasses**
10 ml	**poudre à pâte**	**2 c. à t.**
2 ml	**sel**	**½ c. à t.**
250 ml	**cheddar fort râpé**	**1 tasse**
250 ml	**lait**	**1 tasse**
75 ml	**miel**	**⅓ tasse**
1	**œuf**	**1**
75 ml	**beurre non salé, fondu**	**⅓ tasse**

- Préchauffer le four à 200 °C (400 °F). Graisser des moules à muffins.
- Dans un grand bol, mélanger la farine, la poudre à pâte, le sel et le cheddar. Dans un autre bol, mélanger le lait, le miel, l'œuf et le beurre. Ajouter d'un seul coup aux ingrédients secs et mélanger grossièrement.
- Répartir la pâte entre les moules à muffins, en les remplissant aux trois quarts. Faire cuire au four environ 20 minutes, ou jusqu'à ce qu'un cure-dent, inséré au centre, en ressorte sec.

NOTE : *ces muffins peuvent se conserver au congélateur pendant une durée maximale de 6 mois. Pour les faire dégeler, les laisser au réfrigérateur pendant 24 heures.*

RECETTE DE L'INSTITUT DE TOURISME ET D'HÔTELLERIE DU QUÉBEC

MUFFINS AU SON ET AUX RAISINS

(environ 1 douzaine)

125 ml	**farine de blé entier**	**½ tasse**
150 ml	**farine tout usage**	**⅔ tasse**
250 ml	**cassonade**	**1 tasse**
15 ml	**poudre à pâte**	**1 c. à s.**
2 ml	**bicarbonate de soude**	**½ c. à t.**
2 ml	**muscade moulue**	**½ c. à t.**
2 ml	**sel**	**½ c. à t.**
175 ml	**son**	**¾ tasse**
1	**gros œuf**	**1**
175 ml	**babeurre**	**¾ tasse**
125 ml	**huile de tournesol**	**½ tasse**
125 ml	**raisins secs, enrobés de farine**	**½ tasse**

- Préchauffer le four à 220 °C (425 °F). Graisser des moules à muffins ou les foncer de moules en papier.
- Dans un grand bol, mélanger les farines, la cassonade, la poudre à pâte, le bicarbonate de soude, la muscade et le sel. Ajouter le son et mélanger.
- Dans un autre bol, battre l'œuf. Au fouet, y incorporer le babeurre et l'huile.
- Incorporer les ingrédients humides aux ingrédients secs, sans trop les mélanger. Incorporer les raisins secs. Répartir la pâte entre les moules à muffins, en les remplissant aux trois quarts. Faire cuire au four de 18 à 20 minutes, ou jusqu'à ce qu'un cure-dent, inséré au centre, en ressorte sec.
- Sortir les muffins du four et les laisser reposer plusieurs minutes. Démouler sur une grille et laisser refroidir.

MUFFINS À L'ÉRABLE ET AUX NOIX DE PACANE

(1 douzaine)

500 ml	**farine de blé entier**	**2 tasses**
2 ml	**sel**	**½ c. à t.**
15 ml	**poudre à pâte**	**1 c. à s.**
125 ml	**sirop d'érable**	**½ tasse**
60 ml	**huile végétale**	**4 c. à s.**
2	**œufs, battus**	**2**
60 ml	**lait**	**4 c. à s.**
125 ml	**noix de pacane en morceaux**	**½ tasse**
75 ml	**sucre d'érable râpé**	**⅓ tasse**
50 ml	**flocons d'avoine**	**¼ tasse**
30 ml	**beurre non salé, fondu**	**2 c. à s.**

- Préchauffer le four à 190 °C (375 °F). Graisser et fariner des moules à muffins.
- Mélanger la farine de blé, le sel et la poudre à pâte. Dans un grand bol, mélanger le sirop d'érable, l'huile, les œufs et le lait. Incorporer graduellement les ingrédients secs à cet appareil. Ajouter les noix de pacane.
- Répartir la pâte entre les moules à muffins, en les remplissant aux trois quarts.
- Mélanger le sucre d'érable, les flocons d'avoine et le beurre fondu; parsemer les muffins de ce mélange. Faire cuire au four environ 20 minutes, ou jusqu'à ce qu'un cure-dent, inséré au centre, en ressorte sec. Démouler.

Recette de l'Institut de tourisme et d'hôtellerie du Québec

1. Incorporer graduellement les ingrédients secs à l'appareil au sirop d'érable.

2. Répartir la pâte entre les moules à muffins.

3. Parsemer les muffins du mélange de sucre d'érable, flocons d'avoine et beurre fondu.

MUFFINS AUX CAROTTES

(1 douzaine)

125 ml	**sucre**	**½ tasse**
150 ml	**miel**	**⅔ tasse**
125 ml	**huile végétale**	**½ tasse**
3	**œufs**	**3**
400 ml	**farine tout usage**	**1⅔ tasse**
10 ml	**cannelle**	**2 c. à t.**
1	**pincée de clous de girofle moulus**	**1**
4 ml	**bicarbonate de soude**	**¾ c. à t.**
15 ml	**poudre à pâte**	**1 c. à s.**
500 ml	**carottes râpées**	**2 tasses**
125 ml	**raisins secs**	**½ tasse**
125 ml	**noix de Grenoble hachées**	**½ tasse**

GLAÇAGE

125 ml	**beurre non salé**	**½ tasse**
125 ml	**fromage à la crème**	**½ tasse**
250 ml	**sucre glace**	**1 tasse**
15 ml	**zeste de citron**	**1 c. à s.**
5 ml	**jus de citron**	**1 c. à t.**

- Préchauffer le four à 200 °C (400 °F). Garnir les moules à muffins de moules en papier.
- Dans un grand bol, mélanger le sucre, le miel et l'huile pour obtenir un appareil homogène. Sans cesser de mélanger, ajouter les œufs un à un.
- Tamiser ensemble la farine, la cannelle, les clous de girofle, le bicarbonate de soude et la poudre à pâte. Ajouter ces ingrédients secs au mélange et travailler grossièrement. Incorporer les carottes râpées, les raisins secs et les noix.
- Répartir la pâte entre les moules à muffins, en les remplissant aux trois quarts. Faire cuire au four 15 minutes, ou jusqu'à ce qu'un cure-dent, inséré au centre, en ressorte sec. Démouler les muffins; les servir chauds ou les laisser refroidir et les garnir de glaçage.
- Pour préparer le glaçage, battre en crème le beurre et le fromage. Ajouter le sucre glace et bien mélanger. Incorporer le zeste et le jus de citron.

RECETTE DE L'INSTITUT DE TOURISME ET D'HÔTELLERIE DU QUÉBEC

MUFFINS À LA CITROUILLE

(1 douzaine)

175 ml	**miel**	**¾ tasse**
125 ml	**huile végétale**	**½ tasse**
250 ml	**purée de citrouille froide**	**1 tasse**
2	**œufs**	**2**
5 ml	**extrait d'amandes**	**1 c. à t.**
375 ml	**farine de blé entier**	**1½ tasse**
5 ml	**poudre à pâte**	**1 c. à t.**
2 ml	**bicarbonate de soude**	**½ c. à t.**
2 ml	**sel**	**½ c. à t.**
75 ml	**raisins secs**	**⅓ tasse**
50 ml	**noix de Grenoble**	**¼ tasse**
10 ml	**farine**	**2 c. à t.**

- Préchauffer le four à 180 °C (350 °F). Graisser des moules à muffins ou les garnir de moules en papier.
- Dans un grand bol, mélanger le miel, l'huile, la purée de citrouille, les œufs et l'extrait d'amandes. Tamiser ensemble 375 ml (1½ tasse) de farine, la poudre à pâte, le bicarbonate de soude et le sel. Incorporer ces ingrédients secs au premier appareil.
- Fariner les raisins et les noix avec 10 ml (2 c. à t.) de farine; les incorporer à la pâte. Remplir les moules de pâte, aux trois quarts. Faire cuire au four de 25 à 30 minutes, ou jusqu'à ce qu'un cure-dent, inséré au centre, en ressorte sec.

NOTE : *pour obtenir de la purée de citrouille, couper une citrouille en deux, en retirer les graines et la faire cuire au four, à 180 °C (350 °F), 30 minutes. Réduire la chair en purée et laisser refroidir.*

RECETTE DE L'INSTITUT DE TOURISME ET D'HÔTELLERIE DU QUÉBEC

MUFFINS AU BLÉ ENTIER ET AUX CAROUBES

(1 douzaine)

750 ml	**farine de blé entier**	**3 tasses**
125 ml	**farine à pâtisserie**	**½ tasse**
30 ml	**poudre à pâte**	**2 c. à s.**
250 ml	**cassonade**	**1 tasse**
2	**œufs, battus**	**2**
250 ml	**lait**	**1 tasse**
175 ml	**huile végétale**	**¾ tasse**
5 ml	**extrait de vanille**	**1 c. à t.**
125 ml	**pépites de caroube**	**½ tasse**

- Préchauffer le four à 200 °C (400 °F). Graisser des moules à muffins.
- Dans un bol, mélanger les ingrédients secs. Y incorporer les œufs, puis les autres ingrédients, en remuant rapidement avec une cuillère en bois.
- Répartir la pâte entre les moules à muffins en les remplissant aux trois quarts. Faire cuire au four environ 15 minutes, jusqu'à ce que les muffins soient dorés et qu'un cure-dent, inséré au centre, en ressorte sec.

NOTE : *les pépites de caroube se vendent dans les magasins d'alimentation naturelle.*

RECETTE DE L'INSTITUT DE TOURISME ET D'HÔTELLERIE DU QUÉBEC

Muffins au gingembre et aux framboises

(1 douzaine)

375 ml	**farine à pâtisserie**	**1½ tasse**
5 ml	**sel**	**1 c. à t.**
250 ml	**farine d'avoine**	**1 tasse**
10 ml	**poudre à pâte**	**2 c. à t.**
5 ml	**bicarbonate de soude**	**1 c. à t.**
75 ml	**cassonade**	**⅓ tasse**
175 ml	**lait**	**¾ tasse**
2	**petits œufs, légèrement battus**	**2**
60 ml	**beurre non salé, fondu**	**4 c. à s.**
50 ml	**gingembre confit, haché finement**	**¼ tasse**
175 ml	**framboises fraîches**	**¾ tasse**
50 ml	**miel**	**¼ tasse**

- Préchauffer le four à 200 °C (400 °F). Graisser des moules à muffins.
- Tamiser ensemble tous les ingrédients secs. Dans un grand bol, battre le lait, les œufs et le beurre fondu. Avec une cuillère en bois, incorporer grossièrement les ingrédients secs, puis le gingembre.
- Mélanger les framboises avec le miel; réserver.
- Remplir les moules à muffins de pâte, jusqu'au tiers. Disposer 4 ou 5 framboises au centre, puis couvrir de pâte pour remplir les moules aux deux tiers. Faire cuire au four de 20 à 25 minutes, ou jusqu'à ce qu'un cure-dent, inséré au centre, en ressorte sec.
- Lorsque les muffins sont cuits, les retourner sur une grille et les laisser refroidir.

Remplir les moules à muffins de pâte, jusqu'au tiers.

Disposer 4 ou 5 framboises au centre.

Couvrir de pâte pour remplir les moules aux deux tiers.

MUFFINS AUX GRAINS DE CHOCOLAT

(1 douzaine)

625 ml	**farine à pâtisserie**	**2½ tasses**
5 ml	**sel**	**1 c. à t.**
10 ml	**poudre à pâte**	**2 c. à t.**
5 ml	**bicarbonate de soude**	**1 c. à t.**
45 ml	**sucre**	**3 c. à s.**
175 ml	**lait**	**¾ tasse**
2	**petits œufs**	**2**
60 ml	**beurre non salé, fondu**	**4 c. à s.**
3	**carrés de chocolat à cuire mi-sucré, en gros morceaux**	**3**
125 ml	**pépites de chocolat mi-sucré**	**½ tasse**

- Préchauffer le four à 200 °C (400 °F). Graisser des moules à muffins.
- Tamiser ensemble tous les ingrédients secs.
- Dans un grand bol, battre le lait, les œufs et le beurre fondu. Avec une cuillère en bois, incorporer rapidement les ingrédients secs. Ajouter les morceaux et les pépites de chocolat; mélanger.
- Répartir la pâte entre les moules à muffins, en les remplissant aux trois quarts. Faire cuire au four pendant 20 minutes, ou jusqu'à ce qu'un cure-dent, inséré au centre, en ressorte sec.
- Renverser les muffins sur une grille et les laisser refroidir.

Muffins aux figues et à l'avoine

(1 douzaine)

250 ml	**farine d'avoine**	**1 tasse**
375 ml	**farine tout usage**	**1½ tasse**
2 ml	**sel**	**½ c. à t.**
20 ml	**poudre à pâte**	**4 c. à t.**
5 ml	**bicarbonate de soude**	**1 c. à t.**
175 ml	**cassonade**	**¾ tasse**
175 ml	**lait**	**¾ tasse**
1	**œuf, légèrement battu**	**1**
75 ml	**huile de tournesol**	**⅓ tasse**
250 ml	**figues séchées hachées**	**1 tasse**

- Préchauffer le four à 200 °C (400 °F). Graisser des moules à muffins.
- Tamiser ensemble tous les ingrédients secs.
- Dans un grand bol, battre le lait, l'œuf et l'huile. Avec une cuillère en bois, incorporer grossièrement les ingrédients secs, puis les figues.
- Répartir la pâte entre les moules en les remplissant aux trois quarts. Faire cuire au four 20 minutes, ou jusqu'à ce qu'un cure-dent, inséré au centre, en ressorte sec.
- Renverser les muffins sur une grille et les laisser refroidir, ou encore les servir chauds, avec du beurre et de la confiture.

MUFFINS À LA FARINE DE MAÏS ET AUX RAISINS SECS

(1 douzaine)

2	**œufs**	**2**
175 ml	**sucre**	**¾ tasse**
175 ml	**farine de maïs**	**¾ tasse**
300 ml	**farine à pâtisserie**	**1¼ tasse**
10 ml	**poudre à pâte**	**2 c. à t.**
1	**pincée de sel**	**1**
175 ml	**lait**	**¾ tasse**
125 ml	**huile**	**½ tasse**
75 ml	**raisins secs dorés**	**⅓ tasse**

- Préchauffer le four à 180 °C (350 °F). Graisser des moules à muffins.
- Dans un grand bol, battre les œufs et le sucre jusqu'à l'obtention d'un mélange mousseux. Tamiser ensemble les farines, la poudre à pâte et le sel. Mélanger le lait avec l'huile.
- Incorporer les ingrédients secs au premier appareil, en alternant avec le mélange au lait. Ajouter les raisins secs.
- Répartir la pâte entre les moules à muffins en les remplissant aux trois quarts. Faire cuire au four environ 20 minutes, ou jusqu'à ce qu'un cure-dent, inséré au centre, en ressorte sec.

RECETTE DE L'INSTITUT DE TOURISME ET D'HÔTELLERIE DU QUÉBEC

MUFFINS AU SARRASIN ET AU MIEL

(1 douzaine)

250 ml	**farine à pâtisserie**	**1 tasse**
250 ml	**farine de sarrasin**	**1 tasse**
20 ml	**poudre à pâte**	**4 c. à t.**
1	**pincée de sel**	**1**
2	**œufs, battus**	**2**
125 ml	**miel de sarrasin**	**½ tasse**
175 ml	**lait**	**¾ tasse**
125 ml	**huile végétale**	**½ tasse**

- Préchauffer le four à 180 °C (350 °F). Graisser des moules à muffins.
- Dans un grand bol, mélanger tous les ingrédients secs. Ajouter les œufs et les autres ingrédients; mélanger avec une cuillère en bois.
- Répartir la pâte entre les moules à muffins en les remplissant aux trois quarts. Faire cuire au four environ 15 minutes, ou jusqu'à ce qu'un cure-dent, inséré au centre, en ressorte sec.

NOTE : *le miel de sarrasin se trouve dans les magasins d'alimentation naturelle et les épiceries fines.*

RECETTE DE L'INSTITUT DE TOURISME ET D'HÔTELLERIE DU QUÉBEC

Index

N

P

R

S

T